10 / 18

12, AVENUE D'ITALIE. PARIS XIIIe

Sur l'auteur

Ressortissant britannique né en 1948 au Zimbabwe, où il a grandi, Alexander McCall Smith vit aujourd'hui à Édimbourg, et exerce les fonctions de professeur de droit appliqué à la médecine. Il est internationalement connu pour avoir créé le personnage de la première femme détective du Botswana, Mme Precious Ramotswe, héroïne d'une série qui compte déjà huit exemplaires. Quand il n'écrit pas, Alexander McCall Smith s'adonne à la musique - il fait partie de « l'Orchestre épouvantable » - et aux voyages. Il est également l'auteur d'un recueil de contes intitulé *La femme qui épousa un lion* et des aventures d'Iabel Dalhousie, présidente du *Club des philosophes amateurs*, dont le deuxième volet, *Amis, amants, chocolat*, a paru en 2006 aux Éditions des 2 Terres. *44 Scotland Street* inaugure les chroniques d'Édimbourg, un roman feuilleton qui conte les tribulations d'un groupe de personnages hauts en couleurs, tous habitants d'un même immeuble dans un quartier bohème de la capitale écossaise.

ALEXANDER McCALL SMITH

1 COBRA, 2 SOULIERS ET BEAUCOUP D'ENNUIS

Traduit de l'anglais
par Élisabeth KERN

INÉDIT

« *Grands Détectives* »
dirigé par Jean-Claude Zylberstein

Titre original :
Blue Shoes and Happiness

© Alexander McCall Smith, 2006.
© Éditions 10/18, Département d'Univers Poche, 2007,
pour la traduction française.
ISBN 978-2-264-04455-6

Ce livre est dédié à
Bernard Ditau, du Botswana,
et à Kenneth et Pravina King, d'Écosse.

CHAPITRE PREMIER

Tante Emang résout les problèmes

Quand on a juste le bon âge, comme Mma Ramotswe, et quand on connaît un peu la vie, comme Mma Ramotswe, il y a assurément des choses que l'on sait. Et l'une des choses que savait Mma Ramotswe, unique fondatrice de l'Agence N° 1 des Dames Détectives (la seule agence de détectives au féminin du Botswana), c'est qu'il existait, dans cette vie, deux catégories de problèmes. Tout d'abord, il y avait ceux – et c'étaient les plus graves – contre lesquels on ne pouvait pas grand-chose, sinon espérer, bien sûr. C'étaient les problèmes liés à la terre, les champs trop rocailleux, les terrains balayés par le vent ou les régions où les cultures ne poussaient pas, du fait de maladies inhérentes au sol. Parmi eux, celui de la sécheresse l'emportait sur tous les autres. C'était une sensation familière au Botswana que cette attente de la pluie, qui ne venait pas, parfois, ou qui arrivait trop tard pour sauver les récoltes. La terre creusée de cicatrices, à bout de forces, s'asséchait et se craquelait sous le soleil implacable et l'on avait le sentiment que rien, jamais, ne pourrait la faire renaî-tre à la vie, sinon un miracle. Or, ce miracle finissait par survenir, il en a toujours été ainsi, et, en l'espace de quelques heures, la terre passait du brun au vert sous le baiser de la pluie. D'autres couleurs succédaient ensuite au vert : des jaunes, des bleus, des rouges surgissaient par petites touches sur le veld, comme si une main invisible avait effrité de gigantesques biscuits multicolores pour en répandre les miettes au hasard. C'étaient les couleurs des fleurs sauvages, restées tapies tout au long de la saison sèche en attendant les premières gouttes d'humidité qui les tireraient du sommeil. Ainsi, cette catégorie de problèmes, au moins, possédait sa solution, même s'il fallait endurer des mois très longs et très secs avant de voir celle-ci apparaître.

L'autre catégorie concernait les problèmes que les gens se créaient eux-mêmes. Ils étaient très courants et Mma Ramotswe en avait vu beaucoup dans l'exercice de sa profession. Depuis qu'elle avait ouvert son agence, avec, pour tout bagage, un exemplaire des *Principes de l'investigation privée*, de Clovis Andersen – mais aussi du bon sens en quantité –, pas un jour ou presque ne s'était écoulé sans qu'elle se trouve confrontée à des difficultés que les gens s'étaient attirées. Contrairement à ceux de la première catégorie – sécheresse et autres –, ces problèmes-là pouvaient être évités. Il suffisait de faire preuve de prudence et de bien se comporter pour y échapper. Mais, bien sûr, les gens ne se conduisaient pas comme ils le devaient.

— Nous sommes des êtres humains, avait dit Mma Ramotswe à Mma Makutsi, et les êtres humains ne peuvent pas faire autrement. Vous n'avez jamais remarqué cela, Mma ? Nous ne pouvons pas nous empêcher de faire des choses qui nous attirent toutes sortes d'ennuis.

Mma Makutsi avait médité quelques instants ces paroles. En règle générale, elle estimait que Mma

Ramotswe voyait juste en ce genre d'affaires, mais il lui semblait que cette assertion-là méritait un peu plus de considération. Certes, elle savait que certains individus ne parvenaient pas à faire de leur vie ce qu'ils auraient aimé qu'elle fût, mais il en existait beaucoup d'autres qui gardaient la maîtrise d'eux-mêmes. Pour ce qui la concernait, par exemple, elle s'estimait apte à opposer une résistance efficace à la tentation. Elle ne se considérait pas comme quelqu'un de particulièrement fort, mais elle ne se sentait pas faible non plus. Elle ne buvait pas, mangeait avec modération et ne se jetait pas sur le chocolat et les gourmandises. Non, l'observation de Mma Ramotswe était décidément trop radicale et Mma Makutsi allait devoir protester. Tout à coup, une pensée la frappa cependant : et une belle paire de chaussures neuves ? Saurait-elle y résister, même si elle en possédait déjà un grand nombre (ce qui, dans la réalité, n'était pas le cas) ?

— Je pense que vous avez raison, Mma, acquiesça-t-elle. Chacun d'entre nous a son point faible et, pour la plupart, nous n'avons pas le pouvoir d'y résister.

Mma Ramotswe examina son assistante. Elle avait sa petite idée de ce que pouvait être le point faible de Mma Makutsi et, qui sait, peut-être y en avait-il plus d'un…

— Prenez Mr. J.L.B. Matekoni, par exemple, poursuivit-elle.

— Mais les hommes sont faibles, coupa Mma Makutsi, c'est bien connu.

Elle s'interrompit. Depuis que Mma Ramotswe et Mr. J.L.B. Matekoni étaient mariés, il se pouvait que Mma Ramotswe ait découvert chez lui de nouveaux points faibles. Le garagiste possédait un tempérament calme, mais c'était souvent les personnes d'apparence douce qui faisaient les choses les plus insolites, en secret bien sûr. À quelle sorte d'extravagance pouvait bien se livrer Mr. J.L.B. Matekoni ? Il serait intéressant de le savoir.

— Les gâteaux, s'empressa d'affirmer Mma Ramotswe. C'est le gros point faible de Mr. J.L.B. Matekoni. Il est incapable de se contrôler quand il est question de manger des gâteaux. On peut lui faire faire n'importe quoi en lui mettant une assiette de gâteaux entre les mains.

Mma Makutsi se mit à rire.

— Mma Potokwane le sait bien, n'est-ce pas ? dit-elle. Je l'ai vue convaincre Mr. J.L.B. Matekoni d'accomplir toutes sortes de choses pour elle, rien qu'en lui offrant quelques tranches de son fameux cake aux fruits.

Mma Ramotswe leva les yeux au ciel. Mma Potokwane, la directrice de la ferme des orphelins, était son amie. Dans le fond, elle avait un grand cœur, mais dès l'instant où elle décidait d'obtenir quelque chose pour les enfants dont elle avait la charge, elle devenait impitoyable. C'était elle qui avait amené Mr. J.L.B. Matekoni à adopter les deux enfants qui vivaient désormais sous leur toit. Cela s'était révélé une bonne chose, bien sûr, et Mma Ramotswe et Mr. J.L.B. Matekoni les aimaient tendrement, mais Mr. J.L.B. Matekoni n'avait ni pris le temps de réfléchir à cette décision ni consulté Mma Ramotswe à son sujet. Par ailleurs, il y avait eu ces multiples occasions où Mma Potokwane l'avait obligé à consacrer des heures entières à réparer l'antique pompe à eau de la ferme des orphelins – une pompe qui datait de l'époque du Protectorat et qu'il aurait fallu depuis longtemps démonter et exposer dans un musée. Et si Mma Potokwane avait pu accomplir tout cela, c'était grâce à sa profonde connaissance des hommes : elle savait comment ceux-ci fonctionnaient et quelles étaient leurs faiblesses. Tel était le secret de bien des femmes qui réussissaient dans la vie : elles connaissaient les faiblesses des hommes.

Cette conversation avec Mma Makutsi avait eu lieu quelques jours plus tôt. À présent, Mma Ramotswe était installée sur la véranda de sa maison de Zebra Drive, on était samedi après-midi et elle lisait le journal. Elle se trouvait seule à la maison, chose inhabituelle pour un samedi. Les enfants étaient tous les deux sortis : Motholeli passait le week-end chez une amie dont la famille vivait à Mogiditishane. La mère de cette amie était venue la chercher en camionnette et avait hissé le fauteuil roulant à l'arrière, parmi de grosses pelotes de ficelle qui avaient éveillé la curiosité de Mma Ramotswe. Par politesse, celle-ci s'était toutefois abstenue de demander des explications. Mais que pouvait-on bien faire d'une telle quantité de ficelle ? s'était-elle interrogée en son for intérieur. La plupart des gens n'utilisaient, au cours de leur existence, que très peu de ficelle, voire pas du tout, mais cette femme, qui était esthéticienne, semblait en avoir un besoin immense. Les esthéticiennes faisaient-elles de la ficelle un usage particulier dont le commun des mortels ignorait tout ? s'était demandé Mma Ramotswe. Les gens parlaient de liftings du visage ; utilisait-on de la ficelle dans le lifting du visage ?

Puso, le garçon, dont le comportement imprévisible leur avait causé bien des soucis, mais qui s'était assagi depuis peu, avait accompagné Mr. J.L.B. Matekoni au stade pour assister à un match de football important. De l'importance, ce match n'en avait pas la moindre aux yeux de Mma Ramotswe – le football ne l'intéressait pas et elle ne voyait pas comment on pouvait estimer important de savoir qui allait réussir à envoyer le plus souvent un ballon dans des buts –, mais à l'évidence, Mr. J.L.B. Matekoni ne partageait pas ce point de vue. Il était fervent supporter des Zebras et suivait de près leurs performances, se rendant au stade chaque fois que l'équipe jouait. Par chance, les Zebras se comportaient bien en ce moment et c'était là, pensait Mma Ramotswe, une excellente chose. Il restait tout à fait possible, se disait-elle, que la dépression de Mr. J.L.B. Matekoni, dont il s'était bien remis, réapparaisse si lui ou les Zebras avaient à subir de graves contrariétés.

Elle se trouvait donc seule et la maison lui paraissait bien silencieuse. Elle s'était préparé du thé rouge, qu'elle avait bu pensivement tout en contemplant le jardin par-dessus sa tasse. L'arbre à saucisses, le *moporoto*, auquel elle n'avait jamais prêté grande attention, s'était mis cette année à produire des fruits abondants. Quatre lourdes cosses en forme de saucisse pendaient ainsi à l'extrémité d'une branche, qui ployait sous leur poids. Il allait falloir faire quelque chose, songea-t-elle. Chacun savait qu'il était dangereux de s'asseoir sous ces arbres, dont les fruits lourds pouvaient briser un crâne en deux s'ils s'avisaient de tomber sur une personne placée au-dessous. C'est ce qui était arrivé à un ami de son père, bien des années plus tôt : le choc lui avait fêlé le crâne et endommagé le cerveau, rendant son élocution difficile. Elle se souvenait du jour où, enfant, elle l'avait vu chercher désespérément à se faire comprendre ; son père lui avait alors expliqué que l'homme s'était endormi sous un arbre à saucisses et que l'on en constatait là le résultat.

Elle se promit de mettre les enfants en garde et d'envoyer Mr. J.L.B. Matekoni détacher les fruits avec une perche avant que quelqu'un ne soit blessé. Puis elle retourna à sa tasse de thé et à la lecture du *Daily News* déployé sur ses genoux. Elle avait déjà achevé les quatre premières pages et parcouru les petites annonces avec autant d'attention que d'ordinaire. Il y avait beaucoup à apprendre des petites annonces, des offres de tuyaux d'irrigation pour les fermiers, de camionnettes d'occasion, d'emplois en tout genre, de terrains avec permis de construire et de meubles bon marché. Non seulement se tenait-on ainsi informé de la valeur des choses, mais on engrangeait aussi quantité de renseignements relatifs à la vie du pays. Ce jour-là, par exemple, un certain Mr. Herbert Motimedi prévenait qu'il ne devrait plus être tenu pour responsable des dettes contractées par Mrs. Boipelo Motimedi, ce qui signalait au public que Herbert et Boipelo n'étaient plus intimes – ce qui, soit dit en passant, ne surprenait guère Mma Ramotswe. Elle avait toujours pensé que ce mariage n'était pas une bonne idée, sachant qu'avant de rencontrer Herbert, Boipelo Motimedi avait eu trois maris, dont deux s'étaient retrouvés ruinés. Elle sourit et parcourut les autres annonces, avant de tourner la page et de se concentrer sur la rubrique qui l'intéressait plus que toutes les autres.

Quelques mois plus tôt, le journal avait annoncé à ses lecteurs la création d'une nouvelle rubrique. « Si vous avez un problème, pouvait-on lire, écrivez à notre nouvelle chroniqueuse exclusive, Tante Emang, qui vous conseillera sur ce qu'il convient de faire. Non seulement Tante Emang est titulaire d'une licence de l'université du Botswana, mais elle possède la sagesse d'une femme qui a vécu cinquante-huit ans et qui connaît tout de la vie. »

Cette publicité avait valu au journal un afflux de courrier, de sorte qu'il avait fallu élargir l'espace dédié aux bons conseils de Tante Emang. Celle-ci était devenue si populaire qu'on la considérait désormais comme une sorte d'institution nationale. On avait même cité son nom au Parlement, lorsqu'un membre de l'opposition, critiquant une proposition de loi soumise par un infortuné ministre, avait affirmé que celle-ci n'aurait jamais obtenu l'approbation de Tante Emang.

Mma Ramotswe avait gloussé en lisant cela, comme elle gloussait à présent en découvrant les tourments d'un jeune étudiant, auteur d'une déclaration d'amour enflammée, mais dont la lettre avait été transmise par erreur à la sœur de sa bien-aimée. « Je ne sais pas quoi faire, écrivait-il à Tante Emang. Je pense que la sœur est très contente d'avoir reçu cette lettre, car elle me sourit sans arrêt. Sa sœur, la fille que j'aime en réalité, ne sait pas que je l'aime et, d'ailleurs, sa propre sœur lui a peut-être parlé de la lettre qu'elle a reçue de moi. Elle croit donc maintenant que je suis amoureux de sa sœur et ne sait pas que c'est elle que j'aime. Comment me sortir de cette terrible situation ? »

Et Tante Emang, avec sa vigueur habituelle, répondait : « Cher angoissé de Molepolole, la réponse à votre question est simple : vous ne pouvez pas vous en sortir. Si vous dites à l'une des filles qu'elle a reçu une lettre destinée à sa sœur, elle sera très triste. Sa sœur (celle à qui vous vouliez écrire au départ) pensera alors que vous avez été méchant avec sa sœur et que vous l'avez blessée. Elle vous en voudra pour cette raison et ne vous aimera pas. La solution, c'est qu'il faut cesser de voir ces jeunes filles et consacrer votre temps à travailler pour vos examens. Lorsque vous aurez un bon métier et que vous gagnerez de l'argent, vous pourrez trouver une autre jeune fille et en tomber amoureux. Mais si vous souhaitez alors lui écrire, assurez-vous avec beaucoup de soin que vous faites parvenir la lettre à la personne voulue. »

Il y avait deux autres questions. L'une émanait d'un garçon de quatorze ans qui avait décidé d'écrire à Tante Emang parce que son professeur l'avait pris en grippe.

« Je suis un élève très studieux, expliquait-il. Je fais toujours mes devoirs avec application. Je ne crie pas en classe, je ne pousse jamais les autres (comme

16

le font la plupart des garçons). Quand mon professeur parle, je l'écoute toujours et je lui souris. Je n'embête pas les filles (comme le font la plupart des garçons). Je suis un très bon élève dans tous les sens du terme. Pourtant, mon professeur s'en prend à moi dès que quelque chose ne va pas et il me met de mauvaises notes. Je suis désespéré. Plus j'essaie de lui faire plaisir, moins il m'aime. Y a-t-il quelque chose que je fais mal ? »

Pas *une* chose, pensa Mma Ramotswe, toutes. Là est le problème : tu as tout faux. Mais comment expliquer à un garçon de quatorze ans qu'il ne devait pas faire autant d'efforts ? C'étaient ses efforts acharnés qui irritaient son professeur. Mieux valait, songea-t-elle, être un tout petit peu mauvais dans cette existence, et non pas parfait. Les gens parfaits suscitaient justement ce type de réaction, même s'il était vrai qu'un professeur devrait tout de même être au-dessus de cela. Toutefois, se demanda-t-elle, qu'allait répondre Tante Emang ?

« Jeune homme, écrivait Tante Emang, sache que les professeurs détestent les élèves dans ton genre. Il faut arrêter de dire que tu n'es pas comme les autres garçons, sinon, les gens vont trouver que tu ressembles à une fille. »

C'était là toute la réponse que Tante Emang semblait disposée à fournir – ce qui avait un côté un peu dédaigneux, estima Mma Ramotswe. À présent, ce pauvre garçon dévoré d'angoisse allait penser que non seulement son professeur ne l'appréciait pas, mais que Tante Emang ne l'aimait pas non plus. Cependant, le journal manquait peut-être d'espace pour autoriser une analyse du problème en profondeur, car il restait une troisième lettre à publier, et celle-ci n'était pas courte.

« Chère Tante Emang, disait-elle. Il y a quatre ans, ma femme a donné naissance à notre premier enfant.

Nous essayions d'avoir ce bébé depuis longtemps et nous avons été très heureux quand il est arrivé. Lorsqu'il a fallu lui choisir un prénom, ma femme a proposé de lui donner celui de mon frère, qui habite à Mahalapye, mais qui vient nous voir tous les mois. Elle disait que ce serait une bonne chose, car mon frère n'était pas marié et qu'il était bon de donner à un enfant le nom d'un membre de la famille. J'ai trouvé cela très bien et j'ai accepté.

« Depuis la naissance de mon fils, mon frère se montre très attentionné avec lui. Il lui apporte toujours des cadeaux et des paquets de bonbons quand il vient le voir. Le garçon adore son oncle et il écoute attentivement les histoires qu'il lui raconte. Ma femme trouve que c'est une bonne chose… et que tous les petits garçons devraient aimer leur oncle comme ça.

« Et puis, il n'y a pas longtemps, quelqu'un m'a dit : *Ton fils ressemble beaucoup à ton frère. On dirait presque que c'est son fils.* Alors, pour la première fois, j'ai pensé : mon frère serait-il le père de mon fils ? Je les ai regardés tous les deux alors qu'ils étaient assis côte à côte et j'ai trouvé moi aussi qu'ils se ressemblaient comme deux gouttes d'eau.

« J'aime beaucoup mon frère. C'est mon jumeau et nous avons toujours tout fait ensemble. Seulement, l'idée qu'il puisse être le père de mon fils ne me plaît pas du tout. Je voudrais lui en parler, mais je ne veux pas risquer de causer des problèmes dans la famille. Vous êtes quelqu'un de sage, ma tante : que pensez-vous que je doive faire ? »

Mma Ramotswe acheva sa lecture et songea : si c'est un jumeau, il doit bien comprendre ce que sa question a d'absurde. Après tout, le père et l'oncle sont jumeaux ! Si Tante Emang avait ri en parcourant cette lettre, cela ne transparaissait pas dans sa réponse.

« Je regrette que vous vous fassiez du souci pour cela, écrivait-elle. Regardez-vous dans un miroir. Ressemblez-vous à votre frère ? »

Et, là encore, elle n'en disait pas davantage.

Mma Ramotswe réfléchit à ce qu'elle venait de lire. Il semblait que Tante Emang et elle-même possédaient au moins une chose en commun : toutes deux s'occupaient des problèmes d'autrui et on leur demandait de trouver une solution. Toutefois, la similitude s'arrêtait là. Tante Emang avait le rôle le plus facile : il lui suffisait de réagir de façon concise aux faits qui lui étaient présentés. Dans le cas de Mma Ramotswe, les détails importants étaient souvent inconnus et il était nécessaire de déployer des trésors d'habileté pour les tirer de l'ombre. Une fois cela réalisé, elle devait fournir bien davantage qu'une suggestion habile ou dédaigneuse. Il lui fallait amener l'affaire jusqu'à sa conclusion, et cette conclusion n'était pas aussi simple que pouvait se le figurer une personne comme Tante Emang.

Il serait tentant, songea-t-elle encore, d'écrire à Tante Emang la prochaine fois qu'un problème particulièrement complexe lui serait soumis. Mma Ramotswe lui demanderait ce qu'elle ferait dans une telle situation. *Voilà, Tante Emang, essayez un peu de me résoudre ça !* Oui, ce serait intéressant, pensa-t-elle, mais totalement antiprofessionnel. Lorsqu'on était détective privé, comme Mma Ramotswe, on ne pouvait dévoiler au monde entier les problèmes de ses clients. D'ailleurs, Clovis Andersen avait son mot à dire à ce sujet : « N'ouvrez pas la bouche, avait-il écrit dans *Les Principes de l'investigation privée*. N'ouvrez pas la bouche, quoi qu'il arrive, mais en même temps, incitez les autres à faire exactement le contraire. »

Mma Ramotswe avait retenu le conseil et elle avait dû reconnaître que, même si cela pouvait ressembler à de l'hypocrisie (il était hypocrite de faire une chose et de pousser ses interlocuteurs à faire le contraire), inciter les gens à parler était à la base d'un bon travail de détection. Les gens adoraient parler, surtout au Botswana, et il suffisait de leur en donner l'occasion pour qu'ils vous livrent tout ce que vous vouliez savoir. Mma Ramotswe l'avait constaté dans bon nombre de ses enquêtes. Lorsqu'on cherchait la réponse à une question, il fallait interroger quelqu'un. Cela avait toujours fonctionné.

Elle mit le journal de côté et rassembla ses esprits. Il était bien beau de rester là, assise sur la véranda, à penser aux problèmes des autres, mais le temps passait et il y avait des choses à faire. Dans la cuisine, à l'arrière de la maison, un paquet de haricots verts attendaient d'être lavés et coupés en morceaux. Le potiron n'allait pas cuire tout seul. Les oignons devaient être placés dans une marmite d'eau bouillante et mis à mijoter jusqu'à devenir tendres. Il en était ainsi lorsqu'on était une femme, songea-t-elle. On n'avait jamais terminé. Même si l'on pouvait s'asseoir pour boire une tasse de thé rouge, voire deux, on savait toujours qu'une fois la tasse terminée, quelqu'un attendait quelque chose. Les enfants et les hommes attendaient d'être nourris ; un sol sale pleurait pour être nettoyé ; une jupe froissée réclamait d'être repassée. Et cela continuerait ainsi. Le thé n'était qu'une solution temporaire aux soins à apporter au monde, même s'il aidait indéniablement. Peut-être pourrait-elle écrire à Tante Emang pour lui expliquer cela. La plupart des tourments pouvaient être apaisés en buvant du thé et en réfléchissant pendant ce temps. Et même si cela ne résolvait pas les problèmes, cela permettait de souffler un peu, ce qui se révélait parfois nécessaire, vraiment nécessaire.

CHAPITRE II

La bonne et la mauvaise façon de traiter un serpent

Le lundi suivant, la performance des Zebras dans le match contre la Zambie fut le premier sujet de conversation de la journée, du moins parmi les hommes.

— Je savais qu'on allait gagner ! s'exclama Charlie, l'aîné des apprentis. J'en étais sûr. Et on a gagné. On a gagné !

Mr. J.L.B. Matekoni sourit. Contrairement à ses deux apprentis, qui se réjouissaient toujours de la défaite de l'équipe adverse, il se sentait peu enclin au triomphalisme. Il voyait bien que, si l'on examinait les résultats sur le long terme, chaque victoire occasionnelle tendait à être obscurcie par une série de défaites. Il était difficile pour un petit pays – du moins, petit en nombre d'habitants – d'entrer en compétition avec d'autres, plus peuplés. Si les Kenyans décidaient de former une équipe de football, ils disposaient de plusieurs milliers de personnes parmi lesquelles effectuer leur sélection ; la même chose était vraie, et plus encore, des Sud-Africains. En revanche, même s'il possédait un territoire aussi vaste que le ciel et qu'il avait le bonheur de jouir de ces espaces immenses et écrasés de chaleur, le

Botswana ne comptait que deux millions d'habitants à partir desquels former son équipe. Aussi lui était-il difficile de se confronter aux grands pays, quoiqu'il fît de son mieux. Cela ne s'appliquait qu'au sport, bien entendu. Pour tout le reste, Mr. J.L.B. Matekoni le savait et en était fier, le Botswana n'avait rien à envier à quiconque, loin de là. Il n'avait aucune dette, n'enfreignait aucune règle. Évidemment, il n'était pas parfait : tout pays a un jour fait des choses dont son peuple peut porter la honte. Mais, au moins, les gens savaient quelles étaient ces choses et ils pouvaient en parler en toute liberté, ce qui faisait une différence.

Le football, toutefois, occupait une place à part.

— Oui, répondit Mr. J.L.B. Matekoni. Les Zebras ont très bien joué. Je suis très fier d'eux.

— Ouais ! s'exclama le plus jeune des apprentis en cherchant le levier pour dévoiler le moteur d'une voiture qu'on leur avait donnée à réviser. Et vous avez vu ces gens de Lusaka qui pleuraient à la sortie du stade ?

— Tout le monde peut perdre, objecta Mr. J.L.B. Matekoni. On doit y penser chaque fois que l'on gagne.

Il songea à ajouter, *et n'importe qui peut pleurer, même un homme,* mais il savait qu'avec les apprentis une telle remarque ne servirait à rien.

— Mais on n'a pas perdu, patron ! se récria Charlie. On a gagné.

Mr. J.L.B. Matekoni soupira. Cent fois, il avait été tenté de renoncer à enseigner la vie aux deux garçons, mais il avait persisté malgré tout. Il estimait qu'un maître d'apprentissage ne devait pas se contenter d'apprendre à ses élèves comment changer un filtre à huile ou réparer des freins. Il devait aussi leur montrer, de préférence par l'exemple, comment se comporter en mécanicien respectable. N'importe qui pouvait apprendre à réparer une voiture – d'ailleurs, les Japonais ne possédaient-ils pas des robots qui construisaient des véhicules sans l'aide de quiconque ? –, mais devenir un mécanicien respectable n'était pas donné à tout le monde. Une telle personne conseillait les propriétaires de voitures ; une telle personne expliquait sans mentir le problème que rencontrait le véhicule ; une telle personne songeait avant tout à l'intérêt du client et agissait en conséquence. Tout cela devait se transmettre de génération en génération chez les garagistes, et cette transmission n'était pas toujours chose facile.

Il observa les apprentis. Ceux-ci retourneraient bientôt suivre une nouvelle session de cours à l'Automotive Trades College, mais il se demandait si cette formation se révélerait pour eux d'une quelconque utilité. Il recevait les appréciations des professeurs sur la façon dont les deux garçons se comportaient dans la partie théorique de leur apprentissage. Ces rapports ne constituaient pas une lecture agréable ; même si les jeunes hommes réussissaient – de justesse – aux examens, leur manque de soin et de sérieux donnait immanquablement lieu à des commentaires. Qu'ai-je donc fait pour mériter de tels apprentis ? se demandait Mr. J.L.B. Matekoni. Certains amis à lui, qui avaient également pris des élèves en apprentissage, se félicitaient d'avoir des jeunes gens qui parvenaient très vite à acquérir des compétences propres à justifier leur paie, voire davantage. L'un de ces amis, qui avait pris sous son aile un jeune apprenti de Lobatse, avait même affirmé que son protégé en savait désormais plus long que lui sur les voitures et qu'il se débrouillait en outre très bien avec les clients. En l'écoutant, Mr. J.L.B. Matekoni avait été frappé de constater à quel point lui-même avait joué de malchance en recevant deux apprentis aussi incompétents l'un que l'autre. S'il n'y en avait eu qu'un, l'on aurait pu croire à un malheureux hasard : en récupérer deux ressemblait à un singulier manque de chance.

Mr. J.L.B. Matekoni consulta sa montre. Il ne servait à rien de réfléchir à ce que serait la vie si le monde était différent. Il y avait du pain sur la planche ce jour-là et lui-même devait faire une course qui lui prendrait une bonne partie de la matinée. Mma Ramotswe et Mma Makutsi étaient parties à la poste et à la banque et elles ne seraient pas de retour avant un moment. C'était la fin du mois et les gens affluaient dans les banques. Il serait préférable, estimait-il, que les salaires soient distribués à différentes périodes : on en verserait certains à la fin du mois, comme le voulait la tradition, mais les autres pourraient être payés à diverses dates. Il avait même songé à écrire à la chambre de commerce à ce propos, mais s'était ravisé : cette suggestion resterait lettre morte. Certaines habitudes semblaient à ce point gravées dans la pierre que rien ne pourrait jamais les faire changer. Le jour de paie, apparemment, était de celles-là.

Il jeta un nouveau coup d'œil à sa montre. Il devait s'en aller sous peu, car il avait rendez-vous avec un garagiste qui envisageait de vendre un pont de graissage. Le Tlokweng Road Speedy Motors en possédait déjà un, mais Mr. J.L.B. Matekoni estimait qu'il serait utile de disposer d'un deuxième, surtout s'il l'obtenait à bon prix. Toutefois, s'il partait, les apprentis se retrouveraient seuls en charge du garage jusqu'au retour de Mma Ramotswe et de Mma Makutsi. Peut-être que tout se passerait bien, mais peut-être pas, et Mr. J.L.B. Matekoni se faisait du souci.

Il observa le véhicule qui s'élevait lentement sur le pont de graissage. C'était la grosse voiture blanche de Trevor Mwamba, qui venait d'être nommé évêque anglican du Botswana. Mr. J.L.B. Matekoni le connaissait bien – c'était lui qui les avait mariés, Mma Ramotswe et lui, sous le grand arbre de la ferme des orphelins, avec le chœur qui chantait et le ciel haut et vide – et, en temps normal, il n'aurait jamais laissé les apprentis travailler sur sa voiture sans supervision, mais là, il n'avait guère le choix. L'évêque voulait si possible récupérer le véhicule dans l'après-midi, car il devait assister à une réunion à Molepolole. La voiture ne présentait pas de problème grave, elle n'avait été apportée que pour un entretien de routine, mais Mr. J.L.B. Matekoni aimait vérifier les freins de chaque véhicule avant de le rendre à son propriétaire, et peut-être y aurait-il quelques réglages à effectuer de ce côté-là. Les freins constituaient, selon Mr. J.L.B. Matekoni, la partie la plus importante d'une voiture. Lorsqu'un moteur ne fonctionnait pas, c'était bien ennuyeux, il fallait le reconnaître, mais pas dangereux. On ne pouvait guère se blesser lorsqu'on se trouvait réduit à l'immobilité, mais on risquait gros, en revanche, si l'on roulait à quatre-vingts kilomètres à l'heure et que l'on ne parvenait plus à s'arrêter. Et, comme chacun sait, la route de Molepolole posait un problème de bétail errant. Les vaches, qui étaient censées demeurer derrière les clôtures – telle était la règle –, n'en faisaient qu'à leur tête et semblaient toujours croire que l'herbe avait meilleur goût de l'autre côté de la route.

Mr. J.L.B. Matekoni en vint à la conclusion qu'il n'avait d'autre choix que de laisser la voiture à la merci des apprentis, mais qu'il vérifierait leur travail dès son retour, juste avant le déjeuner. Il appela l'aîné des apprentis et lui donna ses consignes.

— Il faut que tu fasses très attention, déclara-t-il. C'est la voiture de l'évêque Mwamba. Je ne veux pas de travail bâclé. Je veux que tu fasses tout ce qu'il y a à faire avec beaucoup de soin.

Charlie fixa le sol.

— Je fais toujours attention, patron, marmonna-t-il, plein de ressentiment. Est-ce que vous m'avez déjà vu travailler n'importe comment ?

Mr. J.L.B. Matekoni ouvrit la bouche pour répondre, mais se ravisa. Se lancer dans une discussion avec ces garçons n'aboutirait nulle part, se dit-il. Rien de ce qu'il pourrait leur dire ne serait d'une quelconque utilité, puisqu'ils n'en tiendraient tout simplement pas compte. Il se détourna et arracha un morceau de papier absorbant pour s'essuyer les mains.

— Mma Ramotswe va bientôt revenir, reprit-il. Elle est allée faire une course avec Mma Makutsi. En attendant, c'est toi qui as la responsabilité du garage, d'accord ? Tu t'occupes de tout.

Charlie sourit.

— O.K., patron, répondit-il. Vous pouvez me faire confiance.

Mr. J.L.B. Matekoni haussa un sourcil.

— Euh… commença-t-il.

Il n'en dit pas plus. Diriger une affaire comportait une part d'angoisse, c'était inévitable. Il était certes assez ennuyeux d'avoir à se soucier de deux jeunes ouvriers incapables, mais il devait être bien plus difficile de se trouver à la tête d'une grosse entreprise où des centaines d'employés travaillaient pour vous. Ou d'un pays… C'était là un métier terriblement exigeant, et Mr. J.L.B. Matekoni se demandait si un Premier ministre ou un président pouvaient dormir la nuit, avec tous les problèmes du monde qui les accablaient. La fonction de président du Botswana ne devait pas être de tout repos, et si l'on donnait à Mr. J.L.B. Matekoni le choix entre vivre à la State House ou rester le propriétaire du Tlokweng Road Speedy Motors, il n'hésiterait pas un seul instant. Non qu'il trouverait déplaisant d'occuper la State House, dont les pièces étaient fraîches et les jardins ombragés. Il s'agirait là d'une existence très agréable ; mais comme il devait être difficile pour le président de voir tout le monde, ou presque, venir à lui avec une sollicitation ! S'il vous plaît, monsieur, faites ceci, s'il vous plaît, faites cela ; s'il vous plaît, autorisez ceci, cela, ou autre chose encore. Mais après tout, son existence à lui n'était pas si différente : presque tous les gens qu'il voyait lui demandaient de réparer leur voiture, de préférence pour le jour même. Mma Potokwane en était un bon exemple, avec ses constantes requêtes d'entretenir les machines en mauvais état de la ferme des orphelins. Mr. J.L.B. Matekoni songeait que, étant incapable de résister à Mma Potokwane et à ses exigences, il ne ferait pas un très bon candidat à la présidence du Botswana. Bien sûr, le président n'avait sans doute jamais rencontré Mma Potokwane, et même lui aurait peut-être quelque peine à affronter cette femme énergique et convaincante, avec son cake aux fruits et sa façon d'enrober les choses pour tout obtenir de ses interlocuteurs.

Les apprentis n'eurent finalement guère de temps à eux ce matin-là. Peu après avoir vu Mr. J.L.B. Matekoni quitter le garage, ils s'étaient installés sur deux bidons d'huile retournés et, de là, avaient regardé passer les gens sur la route. Conscientes d'être observées, les jeunes filles qui longeaient le garage se détournaient ou affectaient une totale indifférence, mais ne manquaient pas d'entendre les commentaires appréciateurs. C'était le sport préféré des apprentis, aussi furent-ils déçus lorsque apparut la petite fourgonnette blanche de Mma Ramotswe, dix minutes à peine après le départ de Mr. J.L.B. Matekoni.

— Qu'est-ce que vous faisiez, assis comme ça ? leur cria Mma Makutsi en descendant du siège passager. Vous croyez qu'on ne vous a pas vus ?

Charlie la considéra avec une expression d'innocence blessée.

— On a quand même droit à une pause, comme tout le monde ! répliqua-t-il. Vous autres, vous ne travaillez pas sans arrêt, si ? Vous buvez aussi du thé. Je vous ai vues.

— C'est un peu tôt pour le thé, fit remarquer Mma Ramotswe avec légèreté, tout en consultant son bracelet-montre. Mais ça ne fait rien. Je suis sûre que vous allez bien travailler maintenant.

— Qu'est-ce qu'ils sont paresseux ! murmura Mma Makutsi. Dès que Mr. J.L.B. Matekoni a le dos tourné, ils reposent leurs outils.

Mma Ramotswe sourit.

— Ils sont encore très jeunes, dit-elle. Ils ont besoin d'être surveillés. Tous les jeunes gens sont comme ça.

— Surtout les bons à rien comme ces deux-là ! rétorqua Mma Makutsi en se dirigeant vers le bureau. Et quand je pense qu'une fois leur apprentissage terminé – si cela arrive un jour – ils seront lâchés dans la nature ! Figurez-vous un peu ça, Mma ! Figurez-vous Charlie propriétaire d'un garage ! Imaginez que vous arriviez dans un garage et que vous trouviez Charlie aux commandes !

Mma Ramotswe ne répondit rien. Elle avait tenté de persuader Mma Makutsi de manifester un peu plus de tolérance vis-à-vis des deux garçons, mais l'assistante semblait résolue à rester sur ses positions. Pour elle, les apprentis ne savaient rien faire correctement et la convaincre du contraire relevait de la mission impossible.

Elles pénétrèrent dans le bureau. Mma Ramotswe gagna la fenêtre située derrière sa table de travail et l'ouvrit en grand. C'était une chaude journée et la touffeur avait déjà envahi la pièce. La fenêtre permettait au moins à l'air de circuler, même si cet air n'était autre que le souffle brûlant du Kalahari. Tandis que Mma Ramotswe demeurait debout, à contempler le ciel sans nuages, Mma Makutsi remplit la bouilloire pour la première tasse de thé de la matinée. Puis elle se retourna et tira sa chaise de sous son bureau, où elle l'avait rangée la veille. Ce fut à ce moment précis qu'elle poussa un cri – un cri qui déchira l'air et fit déguerpir un petit gecko blanc, résolu à sauver sa vie, entre deux planches du plafond.

Mma Ramotswe se retourna et aperçut son assistante qui s'était immobilisée, le visage figé par l'effroi.

— S… bredouilla-t-elle, puis : Serpent, Mma Ramotswe ! Serpent !

Pendant quelques instants, Mma Ramotswe ne fit rien. Lorsqu'elle vivait à Mochudi, du temps de son enfance, son père lui avait appris qu'avec les serpents l'essentiel était d'éviter tout mouvement brusque. Un mouvement brusque, quoique naturel, bien sûr, avait pour effet d'effrayer le reptile et de l'inciter à attaquer, ce que la plupart des serpents, affirmait-il, répugnaient à faire.

« Ils ne veulent pas gaspiller leur venin, lui avait-il expliqué. Et n'oublie pas qu'ils ont aussi peur de nous que nous avons peur d'eux… peut-être même plus. »

Toutefois, aucun serpent ne pouvait être aussi terrifié que Mma Makutsi lorsqu'elle vit le capuchon du cobra qui se trouvait à ses pieds osciller lentement de droite à gauche. Elle savait qu'il fallait détourner la tête, car ces serpents-là étaient capables de cracher leur venin dans les yeux de leur cible avec une incroyable précision. Elle le savait, mais ne pouvait s'empêcher de noyer son regard dans les yeux noirs du reptile, minuscules et lourds de menace.

— Un cobra, souffla-t-elle à Mma Ramotswe. Sous mon bureau. Un cobra.

Mma Ramotswe s'éloigna avec lenteur de la fenêtre et saisit l'annuaire téléphonique posé sur sa table. C'était le seul objet à portée de main et, au besoin, elle pourrait le lancer vers le serpent afin de détourner son attention de Mma Makutsi. Cela ne fut pas nécessaire. Percevant les vibrations du sol sous les pas de Mma Ramotswe, le serpent abaissa soudain son capuchon et s'éloigna de Mma Makutsi pour se diriger vers une corbeille à papier, au fond de la pièce. Ce fut le signal qu'attendait Mma Makutsi pour retrouver sa capacité de mouvement : elle s'élança vers la sortie. Mma Ramotswe la suivit et les deux femmes se retrouvèrent bientôt en sécurité à l'extérieur du bureau, dont elles claquèrent la porte derrière elles.

Les deux apprentis relevèrent les yeux de la voiture de l'évêque Mwamba.

— Il y a un serpent là-dedans ! hurla Mma Makutsi. Un énorme serpent !

Les garçons abandonnèrent aussitôt leur poste pour se précipiter vers les deux femmes, qui tremblaient comme des feuilles.

— Quelle sorte de serpent ? interrogea Charlie en s'essuyant les mains sur un chiffon. Un mamba ?

— Non, répondit Mma Makutsi. Un cobra. Avec un gros capuchon – gros comme ça ! Juste à mes pieds ! Prêt à m'attaquer !

— Vous avez eu de la chance, Mma, déclara le plus jeune des apprentis. S'il vous avait attaquée, vous seriez peut-être morte à l'heure qu'il est. La défunte Mma Makutsi…

Mma Makutsi lui décocha un coup d'œil furibond.

— Je sais, riposta-t-elle. Mais tu vois, je n'ai pas paniqué. Je suis restée immobile.

— C'était exactement ce qu'il fallait faire, Mma, commenta Charlie. Maintenant, on va pouvoir tuer ce serpent. Dans deux minutes, votre bureau ne présentera plus de danger.

Il se tourna vers l'autre apprenti, qui avait ramassé deux clés à molette et lui en tendait une. Armés de ces outils, ils s'approchèrent à pas lents de la porte, qu'ils ouvrirent avec précaution.

— Faites attention ! leur cria Mma Makutsi. C'est un serpent gigantesque.

— Regardez du côté de la corbeille à papier, ajouta Mma Ramotswe. Il est quelque part par là.

Charlie examina le bureau. Il se tenait dans l'embrasure de la porte et ne voyait pas la pièce entière, mais il aperçut la corbeille et scruta le sol tout autour, et là, oui, il distingua une forme enroulée autour de la base du panier, une forme qui remua légèrement au moment où il posa les yeux dessus.

— Là-bas, chuchota-t-il à l'autre apprenti. Il est là-bas.

Son acolyte tendit le cou et découvrit à son tour la forme sur le sol. Laissant échapper un curieux petit cri, il lança alors la clé à molette de toutes ses forces à travers la pièce. L'outil manqua sa cible, mais heurta le mur derrière la corbeille. Au moment où il retomba au sol, le serpent recula, son capuchon de nouveau dressé, et fit face à la source du danger. Charlie choisit cet instant pour lancer à son tour sa clé à molette, qui percuta elle aussi le mur, mais qui, en retombant, écrasa la queue du serpent. Celle-ci fouetta l'air tandis que le reptile s'efforçait de recouvrer son équilibre. Une fois de plus, sa tête s'agita de façon menaçante et sa langue entra et sortit à plusieurs reprises, alors qu'il cherchait à identifier le bruit et les dangers que présentait son environnement.

Mma Ramotswe agrippa le bras de Mma Makutsi.

— Je ne suis pas sûre que ces garçons…

Elle n'acheva pas. Dans l'excitation générale, personne n'avait entendu un véhicule s'arrêter devant le garage. Un jeune homme bronzé aux cheveux blonds en sortit.

— Eh bien, Mma Ramotswe, lança-t-il, qu'est-ce qui se passe ici ?

Mma Ramotswe se retourna.

— Oh, Mr. Whitson ! s'exclama-t-elle. Vous arrivez à point. Il y a un serpent dans le bureau. Les apprentis essaient de le tuer.

Neil Whitson secoua la tête.

— Cela ne sert à rien de tuer les serpents, répondit-il. Laissez-moi jeter un coup d'œil.

Il gagna la porte du bureau et fit signe aux apprentis de s'écarter.

— Il ne faut surtout pas l'effrayer, expliqua-t-il. Cela aggrave les choses s'il a peur.

— C'est un très gros serpent, rétorqua Charlie avec mauvaise humeur. Il faut le tuer, Rra.

Neil regarda dans la pièce et vit le cobra lové autour de la corbeille à papier. Il se tourna vers Charlie.

— Auriez-vous un bâton ? demanda-t-il. N'importe quel bâton. Quelque chose de long.

Le plus jeune des apprentis s'éloigna, tandis que Charlie et Neil continuaient à observer le reptile.

— Il faut qu'on le tue, insista Charlie. On ne peut pas garder un serpent ici. Imaginez qu'il morde les deux dames qui sont là ! Imaginez qu'il morde Mma Ramotswe !

— Il ne mordra Mma Ramotswe que s'il se sent menacé, répliqua Neil. Et les serpents ne se sentent menacés que si les gens leur marchent dessus ou…

Il marqua un temps d'arrêt, avant d'ajouter :

— … ou leur lancent des objets.

Le plus jeune des apprentis revint à cet instant avec une longue branche du jacaranda qui poussait devant le garage. Neil la lui prit des mains et pénétra dans le bureau avec précaution. Le serpent le suivit des yeux, à demi dressé, le capuchon levé. D'un geste brusque, Neil abaissa le bâton sur le dos de l'animal, dont il pressa le cou contre le sol. Puis, se penchant en avant, il saisit derrière la tête le cobra qui se tordait et le ramassa. La queue, qui s'agitait en tous sens, cherchant une prise, fut alors fermement agrippée par l'autre main.

— Voilà, déclara Neil. Maintenant, Charlie, il nous faut un sac. Il doit bien y en avoir un quelque part…

Lorsque Mr. J.L.B. Matekoni revint, une heure plus tard, il était de belle humeur. Le pont de graissage qu'il avait vu était en parfait état et son propriétaire n'en demandait pas trop cher. C'était même une très bonne affaire et Mr. J.L.B. Matekoni avait déjà versé un acompte. Le plaisir que lui procurait cette transaction se devinait sans peine à son sourire, mais il fut accueilli par deux apprentis qui ne remarquèrent rien.

— On a eu pas mal d'émotions ce matin, patron, lança d'emblée Charlie. Un serpent est entré dans le bureau de Mma Ramotswe. Un énorme serpent, avec une tête grosse comme ça ! Oui, grosse comme ça !

Mr. J.L.B. Matekoni tressaillit.

— Dans le bureau de Mma Ramotswe ? bredouilla-t-il. Et… est-ce qu'elle va bien ?

— Oh oui, pas de problème, répondit Charlie. Heureusement qu'on était là, elle a eu de la chance. Sinon, je ne sais pas…

Mr. J.L.B. Matekoni consulta le deuxième apprenti du regard, comme pour obtenir confirmation.

— C'est vrai, Rra, renchérit le jeune homme. Heureusement qu'on était là. On s'est occupés du serpent.

— Et où est-il ? interrogea Mr. J.L.B. Matekoni. Où l'avez-vous jeté ? Vous savez sans doute que si l'on garde un serpent dans les parages, sa fiancée va venir le chercher. Et là, on risque des ennuis…

Le jeune apprenti se tourna vers Charlie.

— On l'a fait enlever, répondit ce dernier. Par le gars de Mokolodi, vous savez, celui avec qui vous échangez des pièces de moteur. Eh ben, c'est lui qui l'a emporté.

— Mr. Whitson ? s'étonna Mr. J.L.B. Matekoni. Il l'a emporté ?

Charlie hocha la tête.

— Ce n'est pas la peine de tuer les serpents, expliqua-t-il. Il vaut mieux les libérer dans la nature. Vous saviez ça, hein, patron ?

Mr. J.L.B. Matekoni ne répondit pas, mais gagna à grands pas le bureau, frappa à la porte et entra. Assises à leur poste, Mma Ramotswe et Mma Makutsi levèrent toutes deux vers lui un regard interrogateur.

— Tu sais ce qui s'est passé ? s'enquit Mma Ramotswe. Ils t'ont raconté, pour le serpent ?

Mr. J.L.B. Matekoni acquiesça.

— Je sais tout, répondit-il. Et je suis bien content que tu n'aies rien, Mma Ramotswe. C'est la seule chose qui m'intéresse.

— Et moi ? s'indigna Mma Makutsi de son bureau. Vous vous en fichez, de moi, Rra ?

— Oh non, ça me fait très plaisir que vous n'ayez pas été mordue, Mma, assura Mr. J.L.B. Matekoni. Vraiment très plaisir. Je n'aurais pas aimé que l'une ou l'autre d'entre vous se fasse mordre par un serpent.

Mma Ramotswe secoua la tête.

— Mma Makutsi l'a échappé belle, expliqua-t-elle. Et nous avons eu de la chance que ton ami arrive juste à ce moment-là. Il connaît bien les serpents. Tu aurais dû voir comment il l'a attrapé, Mr. J.L.B. Matekoni. Il l'a attrapé comme si ce n'était qu'un simple *chongalolo*[1], ou quelque chose de ce genre.

Mr. J.L.B. Matekoni parut perplexe.

1. Mille-pattes. (*N.d.T.*)

— Mais je croyais que c'étaient les garçons qui l'avaient neutralisé, s'étonna-t-il. Charlie m'a dit que...

Mma Makutsi éclata de rire.

— Eux ? Oh, Rra, vous auriez dû les voir ! Ils lui ont lancé des clés à molette et l'ont mis très en colère. Ils n'ont servi à rien du tout. À rien du tout !

Mma Ramotswe sourit à son mari.

— Ils ont fait de leur mieux, bien sûr, mais...

Elle s'interrompit. Personne n'était parfait, songea-t-elle, et d'ailleurs, elle-même n'avait pas fait face à la situation de manière très brillante. Aucun de nous ne peut savoir comment il réagira face à un serpent avant de se trouver confronté au danger et, à ce moment-là, il découvre en général qu'il ne s'en sort pas très bien. Les serpents faisaient partie de ces tests que la vie nous envoyait et il était impossible d'anticiper notre réaction avant de vivre l'expérience. Les serpents et les hommes. Telles étaient les épreuves envoyées pour tester les femmes, et le résultat n'était pas toujours conforme à ce que l'on aurait souhaité.

CHAPITRE III

Manger sans payer fait grossir

Il fallut un certain temps à chacun pour recouvrer sa sérénité après l'incident du cobra. Les apprentis, convaincus d'avoir joué un rôle vital dans cette affaire, ne cessèrent de se vanter durant le reste de la journée, ajoutant de nouveaux détails à la moindre occasion qu'ils avaient de raconter l'histoire, c'est-à-dire chaque fois qu'un visiteur se présentait au garage. Mr. Polopetsi, le nouvel employé engagé par Mr. J.L.B. Matekoni – étant entendu qu'il pourrait également aider, si le besoin s'en faisait sentir, à l'Agence N° 1 des Dames Détectives –, eut donc droit au récit complet lorsqu'il arriva, une heure plus tard. Mr. J.L.B. Matekoni l'avait envoyé chercher des pneus dans un dépôt situé à l'autre extrémité de la ville, mission qui nécessitait souvent une longue attente. Revenu avec le camion utilisé pour les affaires du garage, il suivit le compte rendu des événements donné par Charlie, qui, cette fois, prit bien soin de mentionner la présence du directeur de la réserve naturelle de Mokolodi, quoique dans un rôle secondaire.

— Mma Makutsi a eu beaucoup de chance, déclarat-il lorsque Charlie eut terminé. Ces serpents attaquent plus vite que l'éclair. Ils sont très rapides. Ils sont impossibles à esquiver s'ils ont décidé de mordre.

— Charlie a été trop rapide pour lui, affirma le plus jeune des apprentis. Il a sauvé la vie à Mma Makutsi.

Il marqua un bref temps d'arrêt avant d'ajouter :

— D'ailleurs, elle ne l'a même pas remercié.

Mr. Polopetsi sourit.

— Je suis sûr qu'elle lui en est reconnaissante, répondit-il. Mais vous deux, rappelez-vous qu'on n'est jamais trop rapide pour un serpent. Mieux vaut se tenir à l'écart. Quand je travaillais à l'hôpital, j'ai vu quelques cas de très mauvaises morsures. Très mauvaises.

Tout en parlant, il se souvint de la femme qui venait d'Otse : elle avait été mordue par une vipère heurtante sur laquelle elle avait marché dans l'obscurité, dérangeant le gros serpent alangui qui s'était glissé dans sa hutte pendant la nuit, à la recherche d'un peu de chaleur. Mr. Polopetsi, alors de service à la pharmacie, se trouvait devant l'entrée des urgences lorsqu'une ambulance du gouvernement l'avait amenée, et il avait vu sa jambe, si enflée que la peau s'était déchirée. Le lendemain, il avait appris que la femme n'avait pas survécu et qu'elle laissait trois enfants, sans père ni grand-mère pour s'occuper d'eux. Il avait alors songé à tous ces enfants d'Afrique qui n'avaient plus de famille, et à ce que devait être la vie sans personne pour vous aimer comme seuls peuvent aimer des parents. Il regarda les apprentis. Eux, ils ne pensaient jamais à ce genre de choses, mais qui pouvait leur en vouloir ? Ils étaient jeunes, et quand on est jeune, on se croit immortel, même si l'on a toutes les preuves du contraire.

Dans un garage toutefois, il n'y avait pas de place pour de telles considérations : le travail n'attendait pas. Mr. Polopetsi entreprit de décharger les pneus, avec leurs bandes de roulement neuves et leurs marquages à la craie ; Mr. J.L.B. Matekoni s'était attelé à la tâche délicate de régler l'allumage d'un vieux break français, une voiture qu'il n'aimait guère, qui avait toujours un problème et à laquelle, à son sens, il aurait fallu depuis longtemps offrir des funérailles décentes. Quant aux deux apprentis, ils achevèrent la révision de la docile voiture blanche de l'évêque Mwamba. Pendant ce temps, dans le bureau attenant de l'Agence N° 1 des Dames Détectives, Mma Ramotswe et Mma Makutsi fourrageaient dans les papiers qui avaient envahi leurs bureaux. Il n'y avait pas beaucoup de vrai travail, car c'était une période creuse pour l'agence, aussi en profitaient-elles pour faire du classement. De par sa formation à l'Institut de secrétariat du Botswana, Mma Makutsi avait pris la direction des opérations.

— On nous disait toujours qu'un bon classement était la clé d'une entreprise prospère, déclara-t-elle à Mma Ramotswe en compulsant une pile de vieilles factures.

— Ah oui ? fit Mma Ramotswe sans grand intérêt.

Elle avait déjà entendu Mma Makutsi s'exprimer sur le thème du classement en un certain nombre d'occasions et il lui semblait qu'il n'y avait pas grand-chose à ajouter à ce propos. Pour elle, l'essentiel n'était pas tant la théorie qui le sous-tendait, mais la question très simple de savoir s'il se révélait ou non efficace. Un bon système de classement permettait de retrouver un papier ; un mauvais système, non.

À l'évidence pourtant, le sujet n'avait pas encore été épuisé.

— On peut classer les documents par date, expliqua Mma Makutsi comme si elle s'adressait à un auditoire d'élèves, ou bien par le nom de la personne à laquelle ils se rapportent. Il y a donc deux grands systèmes de classement : par date ou par personne.

Mma Ramotswe jeta un coup d'œil à la pièce. Il lui semblait étrange que l'on ne puisse pas classer en fonction du sujet traité. Elle-même n'avait jamais suivi de cours de secrétariat, et encore moins obtenu de diplôme à l'Institut de secrétariat du Botswana, mais il devait sûrement exister une façon de classer les documents par thème.

— Et par sujet, non ? interrogea-t-elle.

— Oui, c'est possible aussi, rectifia Mma Makutsi à la hâte. J'avais oublié. Par sujet aussi.

Mma Ramotswe réfléchit. Dans son bureau, on rangeait les documents sous le nom du client, ce qui, à son sens, représentait une méthode parfaitement sensée, mais il serait intéressant, se dit-elle, d'instaurer un système de références croisées selon les affaires traitées. Il y aurait un gros dossier pour les adultères, qui comprendrait tous les cas en rapport avec ce pénible problème, quoiqu'il se révélerait sans doute nécessaire de prévoir des subdivisions. Il y aurait une section réservée aux maris soupçonneux, une autre aux femmes inquiètes, et peut-être même, maintenant qu'elle y réfléchissait, une troisième pour les affaires d'andropause. Beaucoup de femmes venaient la consulter parce qu'elles se faisaient du souci pour leur mari cinquantenaire, et Mma Ramotswe avait récemment lu un article sur l'andropause et les divers troubles que celle-ci entraînait. Elle pourrait d'ailleurs sans peine y ajouter ses propres réflexions sur la question, si quelqu'un venait un jour lui demander son avis.

Mma Ramotswe et Mr. J.L.B. Matekoni rentrèrent déjeuner à Zebra Drive, ce qu'ils aimaient faire quand le travail au garage le permettait. Mma Ramotswe prenait plaisir à s'allonger une vingtaine de minutes après le repas. Il lui arrivait alors de dormir, mais la plupart du temps, elle lisait le journal ou feuilletait un magazine. Mr. J.L.B. Matekoni, quant à lui, ne se couchait pas. Il préférait flâner dans le jardin, sous le voile dispensateur d'ombre, et regarder ses légumes pousser.

Outre sa qualification de mécanicien, il avait, comme beaucoup de gens au Botswana, une âme d'agriculteur et il tirait un immense plaisir de ce petit jardin potager qu'il avait fait naître du sol desséché. Un jour, lorsqu'il aurait pris sa retraite, ils iraient s'installer dans un village, peut-être à Mochudi, et trouveraient une terre à cultiver et du bétail à élever. Alors, il aurait enfin le temps de rester assis dehors, sur la véranda, avec Mma Ramotswe, pour regarder le village vivre sous ses yeux. Ce serait une bonne manière de passer les jours qu'il leur resterait à vivre : dans la paix et le bonheur, parmi les gens et le bétail que l'on connaissait bien. Et il serait bon de mourir au milieu de ce bétail, pensait-il. Avec l'haleine douce des vaches sur son visage et leurs beaux yeux sombres qui vous regardaient toucher au terme du voyage, atteindre le dernier rivage.

Lorsque Mma Ramotswe rentra à l'agence, elle trouva Mma Makutsi sur le seuil. La jeune femme semblait en proie à une vive agitation.

— Il y a une dame qui vous attend à l'intérieur.

Mma Ramotswe hocha la tête.

— Vous a-t-elle dit ce qu'elle voulait, Mma ? s'enquit-elle.

Mma Makutsi parut contrariée.

— Elle a insisté pour vous parler, Mma. J'ai proposé de l'écouter, mais elle a dit qu'elle voulait voir la responsable. C'est ce qu'elle a dit. La responsable. C'est-à-dire vous.

Mma Ramotswe réprima un sourire devant l'expression désapprobatrice de son assistante. Ce genre d'incidents irritaient Mma Makutsi au plus haut point. Souvent, des personnes téléphonaient et réclamaient la patronne ; elles avaient aussitôt droit à une demande d'explications indignée quant à la teneur de l'appel.

40

— Je ne vois pas pourquoi les gens ne peuvent pas me parler d'abord à moi, disait-elle avec mauvaise humeur. Comme ça, quand je vous les passe, je peux vous dire qui ils sont et quel est leur problème.

— Mais cela les obligerait à se répéter, lui avait un jour fait remarquer Mma Ramotswe. Peut-être estiment-ils qu'il est plus judicieux d'attendre que…

Elle s'était interrompue : à l'évidence, un tel argument ne suffirait pas à convaincre Mma Makutsi.

La femme qui attendait dans l'agence faisait donc partie de ces personnes qui avaient refusé d'exposer à Mma Makutsi le motif de leur visite. Soit, il convenait de se montrer compréhensive : venir trouver un détective privé à propos d'un problème intime représentait souvent un pas difficile à franchir et l'on se devait d'accueillir ces gens-là avec bienveillance. Elle n'était pas sûre qu'elle-même trouverait le courage de consulter un parfait étranger pour une affaire personnelle. Si Mr. J.L.B. Matekoni commençait à mal se comporter, par exemple – chose totalement inconcevable –, aurait-elle la force d'aller en parler à quelqu'un ou souffrirait-elle en silence ? Sans doute opterait-elle pour la deuxième solution. C'était là sa façon de réagir, mais d'autres pensaient différemment, bien entendu. Certains individus se plaisaient au contraire à déverser leurs problèmes les plus intimes dans la première oreille disposée à leur prêter attention. Mma Ramotswe s'était un jour retrouvée assise près d'une telle femme dans le car ; et la voyageuse lui avait livré, durant le temps qu'il faut pour aller de Gaborone à Lobatse, tous les sentiments que lui inspirait sa belle-mère, les inquiétudes que lui donnait son fils, qui avait toujours été excellent élève, mais qui venait de rencontrer une fille qui lui avait tourné la tête et le détournait de ses études, ainsi que les désagréments causés par une voisine trop curieuse, qu'elle avait surprise plusieurs fois en train d'observer sa chambre à coucher à travers une paire de jumelles. Sans doute ces personnes se sentaient-elles mieux après s'être ainsi exprimées, mais être choisi par elles comme auditoire pouvait se révéler éprouvant.

La femme assise dans la pièce leva les yeux à l'arrivée de Mma Ramotswe. Toutes deux échangèrent les salutations d'usage – selon la forme prescrite –, tandis que Mma Ramotswe s'installait derrière son bureau.

— Vous êtes Mma Ramotswe ? interrogea la femme.

Mma Ramotswe inclina la tête, tout en enregistrant les détails susceptibles de la renseigner sur sa visiteuse. Celle-ci avait environ trente-cinq ans, elle était de constitution traditionnelle, comme Mma Ramotswe (peut-être même un peu plus traditionnelle, d'ailleurs), et, à en juger par l'anneau qu'elle portait au doigt, mariée à un homme qui avait les moyens de lui offrir une alliance en or de bonne taille. *Les vêtements*, écrivait Clovis Andersen dans *Les Principes de l'investigation privée, fournissent davantage d'indices que toute autre chose (mis à part un agenda personnel ou un portefeuille !). Observez-les. Ils parlent.*

Mma Ramotswe regarda la femme qui lui faisait face. Sa jupe, serrée autour de hanches traditionnelles, était faite d'une assez belle étoffe, d'une couleur grise plutôt neutre. Elle ne révélait rien, songea Mma Ramotswe, sinon que cette personne prêtait attention à sa tenue et avait de l'argent à lui consacrer. Sur la jupe, le chemisier était blanc et…

Elle s'arrêta net. Là, sur la manche droite, juste au-dessous du coude, s'étalait une tache brun-rouge. Quelque chose avait coulé le long du bras ; de la sauce, peut-être.

— Vous êtes cuisinière, Mma ? interrogea Mma Ramotswe.

La femme hocha la tête.

— Oui, répondit-elle.

Elle allait ajouter autre chose lorsqu'elle tressaillit et fronça les sourcils, l'air perplexe.

— Mais comment le savez-vous, Mma ? Nous nous sommes déjà rencontrées ?

Mma Ramotswe agita la main.

— Non, assura-t-elle, nous ne nous connaissons pas, mais en vous voyant, j'ai eu l'impression que vous étiez cuisinière.

— Eh bien, c'est exact, déclara la femme. Vous devez être quelqu'un de très intelligent pour le deviner comme ça. Je suppose que c'est la raison pour laquelle vous faites ce métier.

— La profession qu'exercent les gens nous en dit long sur eux, affirma Mma Ramotswe. Vous êtes cuisinière, peut-être, parce que… laissez-moi réfléchir. Est-ce parce que vous aimez manger ? Non, ce n'est pas possible. Ce serait trop simple. Vous êtes cuisinière, alors, parce que… parce que vous êtes mariée à un cuisinier. Ai-je raison ?

La femme émit un sifflement de surprise.

— Je n'arrive pas à croire que vous ayez découvert tous ces détails comme ça ! s'exclama-t-elle. C'est vraiment très étrange.

Pendant quelques instants, Mma Ramotswe garda le silence. Se voir attribuer un crédit non mérité semblait fort tentant ; elle décida néanmoins qu'elle ne le pouvait pas.

— Je sais tout cela, Mma, expliqua-t-elle, parce que je lis la presse. Il y a trois semaines – quatre, peut-être ? –, j'ai vu votre photo dans le journal. Vous aviez remporté le concours de cuisine du *Pick-and-Pay*. Et le journal expliquait que vous étiez cuisinière dans une université ici, à Gaborone, et que votre mari, lui, était chef à l'*Hôtel Président*. C'est donc de cette façon, conclut-elle dans un sourire, que je sais toutes ces choses.

Cette révélation fut accueillie par un éclat de rire de Mma Makutsi.

— Alors, vous voyez, Mma, déclara celle-ci, nous savions tout ça au moment même où vous avez pénétré dans ce bureau. Je n'avais pas besoin que vous me disiez quoi que ce soit !

Mma Ramotswe décocha un regard noir à Mma Makutsi. En présence des clients, il fallait surveiller l'assistante. Celle-ci se montrait parfois insolente lorsqu'elle estimait qu'on ne lui témoignait pas le respect adéquat. Il s'agissait là d'une tendance surprenante de sa part, et qui devait découler, songeait Mma Ramotswe, des fameux 97 sur 100. Elle lui en toucherait un mot un jour, peut-être en faisant référence au chapitre que Clovis Andersen consacrait dans son livre aux relations avec la clientèle. On ne devait jamais chercher à marquer un point au détriment d'un client, prévenait-il. Le détective qui tentait de paraître intelligent aux dépens d'un client n'était pas vraiment intelligent – il était peut-être même tout le contraire...

Mma Ramotswe fit signe à Mma Makutsi de préparer du thé. Le thé aidait à parler et cette femme, à l'évidence mal à l'aise, avait besoin de se détendre.

— Puis-je vous demander votre nom, Mma ? commença Mma Ramotswe.

— Poppy, répondit la femme. Poppy Maope. Mais en général, on m'appelle Poppy.

— C'est un très joli nom, Mma, commenta Mma Ramotswe. J'aimerais beaucoup m'appeler Poppy, moi aussi.

Le compliment suscita un sourire.

— Autrefois, cela me gênait de m'appeler comme ça, expliqua Poppy. Je m'arrangeais pour cacher mon nom aux gens. Je le trouvais ridicule.

Mma Ramotswe secoua la tête. Il n'y avait rien d'embarrassant à s'appeler Poppy, mais on ne pouvait jamais savoir ce qui faisait trouver tel ou tel nom honteux à certains. Prenez Mr. J.L.B. Matekoni, par exemple. Très peu de gens – et peut-être même personne – connaissaient la signification de ses initiales. Il la lui avait confiée à elle, bien sûr, lorsqu'il était devenu son fiancé, mais nul autre ne semblait savoir. En tout cas, pas Mma Makutsi, qui la lui avait demandée sans détour et s'était entendu rétorquer que, malheureusement, une telle révélation était impossible.

— Il y a des noms que l'on garde pour soi, avait expliqué Mma Ramotswe. C'est le cas de Mr. J.L.B. Matekoni. Tout le monde l'a toujours appelé Mr. J.L.B. Matekoni et c'est ainsi qu'il souhaite qu'on le nomme.

Une fois le thé préparé, Mma Makutsi en apporta deux tasses, qu'elle plaça sur le bureau. Au moment où elle les déposait, Mma Ramotswe la vit regarder la cliente comme si elle s'apprêtait à dire quelque chose. Elle lui lança aussitôt un coup d'œil dissuasif.

— Je suis venue vous voir pour une affaire très privée, commença Poppy. J'ai beaucoup de mal à en parler.

Mma Ramotswe tendit la main sur le bureau, juste assez pour effleurer le bras de Poppy. C'est un problème de couple, pensa-t-elle, et il n'est jamais facile d'aborder ce genre de choses ; le seul fait de les évoquer provoque souvent chagrin et larmes.

— Si c'est en rapport avec votre mari, Mma, déclara Mma Ramotswe avec douceur, sachez simplement que nous – Mma Makutsi, qui est là, et moi-même –, nous avons entendu tout ce que l'on peut avoir à raconter dans ce domaine. Il n'y a rien que nous n'ayons pas encore entendu.

— Rien, confirma Mma Makutsi en sirotant son thé.

En disant cela, elle repensait à ce client venu la semaine précédente leur exposer son extraordinaire histoire… Comme il leur avait été difficile, à toutes les deux, de ne pas éclater de rire lorsqu'il leur avait décrit la façon dont… Non, il ne fallait absolument

45

pas songer à cela, car on risquait de partir dans un fou rire.

Poppy secoua la tête avec véhémence.

— Cela n'a rien à voir avec mon mari, assura-t-elle. Mon mari est très gentil. Nous formons un couple heureux.

Mma Ramotswe croisa les bras.

— Je suis ravie de l'entendre, répondit-elle. Combien de personnes peuvent en dire autant, par les temps qui courent ? Depuis que les femmes ont autorisé les hommes à croire qu'ils n'avaient pas besoin de se marier, tout va de travers. C'est en tout cas ce que je pense, Mma.

Poppy réfléchit un instant.

— Vous avez sans doute raison, répondit-elle. Regardez toute cette pagaille. Regardez tout ce que l'infidélité a provoqué. C'est à cause d'elle que tant de gens meurent, non ? Beaucoup de gens meurent de nos jours...

Pendant un long moment, les trois femmes gardèrent le silence. On ne pouvait rien ajouter aux paroles de Poppy. Elles étaient vraies. Tout simplement vraies.

— Mais je ne suis pas venue ici pour parler de cela, reprit Poppy. Je suis venue parce que j'ai peur. J'ai peur parce que je vais perdre mon travail, et si c'est le cas, comment ferons-nous pour payer la maison que nous avons achetée ? Tout mon salaire part dans les remboursements, Mma. Jusqu'au dernier thebe[1]. Alors, si je perds mon emploi, nous allons devoir déménager et vous savez à quel point il est difficile de trouver un lieu agréable où habiter. Il n'y a pas assez de logements.

1. L'unité monétaire du Botswana est le pula, qui signifie « pluie » et se divise en 100 thebe, ou « gouttes de pluie ». (*N.d.T.*)

Mma Ramotswe saisit un crayon sur son bureau et enroula ses doigts autour. Oui, cette femme avait raison. Elle-même, Mma Ramotswe, avait la chance de posséder la maison de Zebra Drive. Si elle devait l'acquérir aujourd'hui, cela lui serait impossible. Comment faisaient les gens pour survivre, quand les logements coûtaient si cher ? Cela restait un mystère.

Poppy l'observait.

— Je vous en prie, continuez, l'engagea Mma Ramotswe. J'espère que cela ne vous dérange pas si je tripote ce crayon. Je vous écoute. Il est plus facile d'écouter quand on a quelque chose à faire avec ses mains.

Poppy esquissa un geste d'assentiment.

— Cela ne me dérange pas, Mma. Vous pouvez tripoter votre crayon autant que vous voulez. Moi, je vais continuer à parler et vous expliquer ce qui me fait peur. Mais tout d'abord, je voudrais vous en dire un peu plus sur mon travail, parce que, si vous devez m'aider, il vous faut comprendre ce que je fais.

« La cuisine m'a toujours attirée, Mma. Quand j'étais petite, c'était toujours moi qui me retrouvais devant les fourneaux, à préparer à manger pour la famille. Ma grand-mère m'a tout appris. Elle adorait cuisiner et elle arrivait à rendre délicieux le plat le plus rudimentaire. Le sorgho. La farine de maïs. Ces mets très ordinaires prenaient un goût excellent quand ma grand-mère y ajoutait des herbes. Des herbes, et un peu de viande quand nous avions de la chance. Ou alors, il lui arrivait d'émincer des vers de mopane. Ça, c'était vraiment bon ! Je ne résiste pas aux vers de mopane. Et vous, Mma ? Vous aimez ça ?

— Aucun Motswana ne peut y résister, affirma Mma Ramotswe en souriant. J'adorerais pouvoir vous en proposer quelques-uns, mais malheureusement, nous n'en avons pas, Mma…

Poppy avala une gorgée de thé.

— Eh oui, les vers de mopane… Enfin, bref, je suis allée suivre des cours de cuisine en Afrique du Sud. J'avais eu la chance d'obtenir une place dans cette école, ainsi qu'une bourse. J'y suis restée toute une année et j'y ai appris une multitude de choses. J'ai appris à cuisiner pour cent, deux cents personnes, comme on cuisine pour quatre ou cinq. Ce n'est pas très difficile, vous savez, Mma Ramotswe, dès lors que l'on connaît les proportions.

« Quand je suis revenue au Botswana, j'ai trouvé mon premier emploi dans une mine de diamants, celle d'Orapa. Ils ont là-bas des cantines pour les mineurs et j'étais l'assistante de l'un des chefs. Il fallait travailler dur, car les mineurs étaient toujours affamés. Mais j'ai appris encore de nouvelles choses, et surtout, j'ai rencontré mon mari, qui était chef là-bas. Il préparait les repas de la maison d'hôtes, que la compagnie minière réservait à ses invités. Il fallait offrir une table de qualité à ces visiteurs, et c'est l'homme que j'ai épousé qui en était chargé.

« Un jour, mon mari en a eu assez de vivre à la mine de diamants. "Il n'y a rien à faire ici, disait-il. Il n'y a que de la poussière, de la poussière, et encore de la poussière !"

« Je lui ai suggéré de rester encore un peu pour gagner davantage d'argent, mais il n'en pouvait plus. Il voulait vivre à Gaborone. Par chance, il a obtenu un travail presque tout de suite, grâce à une personne qui avait séjourné dans la maison d'hôtes de la mine et qui savait que l'*Hôtel Président* cherchait un nouveau chef. Il s'est donc présenté et moi, de mon côté, j'ai vite trouvé un travail à l'IUT, vous savez, ce grand institut universitaire qu'on a construit en ville. Vous devez le connaître, Mma… J'étais très contente d'avoir obtenu cet emploi et de pouvoir vivre avec mon mari à Gaborone, là où tout se passe et où il y a autre chose que de la poussière, de la poussière, et encore de la poussière.

« Tout allait donc très bien. Je n'étais pas cuisinière en chef, bien sûr ; une autre femme tenait ce poste. Elle s'appelle Mma Tsau. Elle a été très gentille avec moi et m'a fait obtenir une augmentation de salaire au bout d'un an. J'étais vraiment très heureuse, jusqu'à ce que je découvre qu'il se passait quelque chose de malhonnête.

« Mma Tsau a un mari, que j'avais croisé une fois ou deux à l'IUT. Un jour, l'une des femmes de ménage est venue me voir et m'a confié : "Cet homme mange toute la nourriture, vous savez. Il mange ce qu'il y a de meilleur ici."

« Je n'ai pas compris ce qu'elle me disait et je lui ai demandé de qui elle parlait. Elle m'a expliqué que c'était du mari de Mma Tsau, et qu'il y avait, à l'institut, une petite réserve où il venait manger de temps en temps et où sa femme lui servait la meilleure viande de la cantine. Les autres jours, m'a-t-elle dit, Mma Tsau emportait des paquets contenant de bons morceaux de viande, qu'elle cuisinait le soir chez elle pour son mari. Cette nourriture était la propriété de l'IUT, m'a dit la femme, mais elle allait directement dans la panse du mari de Mma Tsau, qui engraissait de plus en plus avec tous ces bons repas.

« Au début, je ne l'ai pas crue. Certes, j'avais vu que le mari était gros, mais je me figurais que c'était juste parce que sa femme cuisinait bien. Les maris des cordons-bleus sont souvent plus gras que les autres hommes... et je suppose que c'est normal.

« Un jour, j'ai décidé de vérifier par moi-même ce que m'avait dit la femme de ménage. J'avais remarqué que parfois, à l'heure du déjeuner, Mma Tsau s'absentait de la cuisine, mais j'étais trop occupée pour y prêter attention. Il se passe toujours quelque chose dans une cuisine à l'heure du repas, et de

49

nombreuses raisons peuvent obliger une responsable à s'éloigner quelques instants des fourneaux. Il faut aller vérifier le ravitaillement, répondre au téléphone, courir après les assistantes qui tirent au flanc…

« Ce jour-là, j'ai donc surveillé Mma Tsau. À un moment, elle est sortie pour rappeler à l'ordre l'une des auxiliaires, qui était allée prendre le soleil au lieu de travailler. J'ai regardé par la fenêtre et je l'ai vue secouer l'index en direction de la fille et lui crier quelque chose. Je n'ai pas entendu ce qu'elle disait, mais je n'ai eu aucune peine à le deviner.

« Et puis, quelques minutes plus tard, je l'ai vue se diriger vers l'un des fours et en tirer un plat couvert. C'est un four que nous n'utilisons jamais, parce que nos cuisines ont une capacité supérieure à nos besoins. Elle a donc pris ce plat, qui était recouvert d'une assiette métallique, et elle est sortie. Je me suis approchée d'une fenêtre et je l'ai vue marcher vers un petit bâtiment proche des cuisines. Il y avait là un vieux bureau dont personne ne se servait plus et une pièce de stockage. Elle y est entrée, est restée quelques instants à l'intérieur, puis est ressortie, sans le plat, mais en s'essuyant les mains sur son tablier.

« J'ai attendu quelques minutes. Mma Tsau était à présent occupée à surveiller les serveuses qui distribuaient le ragoût aux étudiants. Elle leur expliquait qu'il ne fallait pas donner des parts trop généreuses, parce qu'il n'y en aurait plus ensuite pour les étudiants qui venaient déjeuner plus tard. Je l'ai entendue dire à l'une d'entre elles qu'elles ne devaient pas servir plus copieusement les étudiants qu'elles aimaient bien et qui leur faisaient des sourires quand venait leur tour, ou qui appartenaient à leur famille. Sachant ce que je venais de découvrir – et si je ne me trompais pas –, je n'en croyais pas mes oreilles. Je trouve qu'on ne peut pas dire une chose et faire exactement le contraire, vous n'êtes pas de mon avis,

Mma Ramotswe ? Si, hein ? Eh bien, c'est ce que je pensais, moi aussi.

« Mma Tsau était donc occupée à faire la leçon à la serveuse et c'était le moment idéal pour quitter la cuisine. Je suis sortie et je me suis dépêchée de gagner le bâtiment dans lequel je l'avais vue entrer. J'avais décidé que la meilleure chose à faire serait de prétendre que je venais chercher quelque chose, aussi n'ai-je pas frappé à la porte et suis-je entrée directement. Il y avait un homme à l'intérieur, le gros en question, le mari de Mma Tsau. Il était installé à une petite table, avec un épais steak devant lui. Il y avait aussi des légumes dans son assiette – des pommes de terre en sauce et une montagne de carottes. Sur la table étaient posés un flacon de sauce tomate et un exemplaire du *Daily News*, qu'il lisait en mangeant.

« J'ai fait semblant d'être surprise de le voir, alors qu'en réalité je savais exactement ce qui m'attendait à l'intérieur avant d'entrer. Je l'ai salué et lui ai dit que j'étais désolée de le déranger dans son repas. Il m'a souri et m'a répondu que ce n'était pas grave et que je pouvais chercher ce que je voulais. Puis il s'est remis à manger son steak, qui sentait très bon dans l'espace restreint de la pièce.

À mesure que l'histoire avançait, la bouche de Mma Ramotswe s'ouvrait de plus en plus grand sous l'effet de l'étonnement. Mma Makutsi semblait elle aussi sidérée par ce récit ; immobile derrière son bureau, elle restait suspendue aux lèvres de la cliente.

Poppy s'était interrompue.

— J'espère que vous ne me trouvez pas trop fouineuse, dit-elle. Je sais que ce n'est pas bien de fourrer son nez dans des choses qui ne nous regardent pas.

Mma Ramotswe secoua la tête.

— Mais cela vous regardait, Mma ! protesta-t-elle. Bien sûr que cela vous regardait ! Quand il y a un voleur dans un endroit, cela regarde toutes les autres personnes qui y travaillent ! Cela regarde tout le monde !

Poppy parut soulagée.

— Je suis heureuse de vous l'entendre dire, Mma. Je ne voulais pas que vous pensiez que j'étais du genre marie-mêle-tout. J'avais peur que…

— Donc, l'interrompit Mma Ramotswe, vous devez décider de ce que vous allez faire. Est-ce pour cela que vous êtes venue me voir aujourd'hui ?

Cette conclusion semblait logique à Mma Ramotswe, mais Poppy agita les mains en signe de dénégation.

— Non, Mma, répondit-elle. J'ai décidé tout de suite de ce que j'allais faire. Je suis allée trouver Mma Tsau dès le lendemain et je lui ai parlé de son mari. Je lui ai dit : "Pourquoi est-ce que votre mari mange toute cette nourriture de l'institut ? Vous n'avez pas assez à manger chez vous ?"

« À ce moment-là, elle était en train d'inspecter une casserole, et quand je lui ai posé cette question, elle l'a lâchée, tellement elle a été surprise. Puis elle m'a regardée avec attention et elle a affirmé qu'elle ne savait pas de quoi je parlais, et que je ne devais pas inventer des histoires pareilles, parce que les gens risquaient de me croire.

« "Mais je l'ai vu de mes yeux ! ai-je répondu. Je l'ai vu dans la réserve qui est là-bas, en train de manger un steak qui venait des cuisines de l'institut. Je l'ai vu, Mma."

Restée silencieuse jusque-là, Mma Makutsi ne put se contenir plus longtemps.

— Elle n'a tout de même pas cherché à nier ça, Mma ! s'exclama-t-elle. Cette méchante femme ! Retirer la viande de la bouche des étudiants pour la donner à son gros mari ! Et en plus, c'est avec nos impôts qu'on la paie !

Poppy et Mma Ramotswe se tournèrent vers Mma Makutsi. Son indignation était palpable.

— Non, elle n'a pas nié, reprit Poppy. Quand je lui ai dit que j'avais vu ce qui se passait, elle n'a rien répondu pendant quelques instants. Mais elle me regardait avec ses yeux plissés… comme ça. Et puis, elle m'a dit que si jamais je racontais ça à quiconque, elle s'arrangerait pour me faire perdre ma place. Elle m'a expliqué que ce serait très facile pour elle. Elle a affirmé qu'il lui suffirait de dire à la direction de l'institut que je faisais mal mon travail et qu'il fallait me remplacer. Elle a dit qu'ils la croiraient sur parole et que je ne pourrais rien faire.

— J'espère que vous êtes allée tout droit prévenir la police ! lança Mma Makutsi, au comble de l'indignation.

Poppy secoua la tête.

— Comment aurais-je pu faire cela ? Je n'avais aucune preuve à fournir et c'est elle que la police aurait crue. C'est la cuisinière en chef, ne l'oubliez pas. Moi, je ne suis qu'une subalterne.

Mma Ramotswe leva les yeux vers le plafond. Elle avait récemment lu un article qui traitait de ce genre de problème et elle tenta de se souvenir du terme qu'employait le journaliste pour décrire cela. *Balance !* Oui, c'était cela. L'article expliquait la difficulté que rencontraient les « balances » qui étaient témoins de malversations sur leur lieu de travail. Dans certains pays, disait-il, il existait des lois pour protéger les « balances ». Dans certains pays, mais Mma Ramotswe n'était pas sûre que ce soit le cas au Botswana. Il y avait très peu de corruption au Botswana, mais malgré tout, il n'était pas certain que la vie soit facilitée pour les « balances ».

— Balance, déclara-t-elle à haute voix. C'est de cela qu'il s'agit.

Poppy la couvrit d'un regard vide.

— Balance ? répéta-t-elle. Pourquoi me parlez-vous de balance ?

— Parce que vous en êtes une, répondit Mma Ramotswe. Ou du moins, vous pourriez en être une.

— Je ne vois pas ce que les balances ont à voir là-dedans, déclara Poppy.

— Si vous alliez voir la police, vous seriez une balance, expliqua Mma Ramotswe. C'est ainsi qu'on appelle les gens qui révèlent à d'autres ce qui se passe en coulisses.

— En coulisses ? répéta Poppy.

Mma Ramotswe résolut de changer de tactique. Certaines personnes se montraient plutôt littérales dans leur compréhension des choses, et Poppy, sem-blait-il, en faisait partie.

— Bon, dit-elle, inutile de réfléchir trop longtemps aux balances et à ce genre de choses. L'important, c'est ceci : vous voulez que nous intervenions pour empêcher cette femme de continuer à voler de la viande. C'est bien ça ?

Cette suggestion parut alarmer Poppy.

— Pas du tout ! se récria-t-elle. Ce n'est pas cela que je veux, Mma. Il faut me laisser terminer mon histoire.

Mma Ramotswe esquissa un geste d'excuse et Poppy reprit la parole.

— J'avais très peur, Mma. Je ne pouvais pas ima-giner perdre mon emploi et je n'ai donc rien fait. Bien sûr, savoir que cet homme mangeait toute cette nourriture aux frais du gouvernement ne me plaisait pas, mais à l'idée de ce que serait notre vie sans mai-son, j'ai préféré tenir ma langue. Et puis, il y a trois jours, Mma Tsau est venue me voir au moment où j'allais quitter le travail pour rentrer chez moi. Mon mari a une voiture et il m'attendait au bout de la rue. Je le voyais assis au volant, en train de regarder le ciel, comme il adore le faire. Quand on est chef dans une cuisine, on ne voit rien d'autre que le plafond et des nuages de vapeur toute la journée. Alors quand on sort, on a envie de regarder le ciel.

« Mma Tsau m'a attirée dans un coin. Elle tremblait de colère et j'ai cru que j'avais commis une faute grave dans mon travail. Mais ce n'était pas ça. Elle m'a attrapé le bras et s'est penchée vers mon oreille pour me parler. "Tu te crois maligne, m'a-t-elle dit. Tu penses pouvoir m'extorquer de l'argent en échange de ton silence au sujet de mon mari. Tu crois ça, hein ?"

« Je ne savais pas du tout de quoi elle parlait. Je le lui ai dit, mais elle s'est mise à rire. Elle m'a dit qu'elle avait déchiré la lettre que je lui avais écrite. Elle m'a dit aussi qu'à la première occasion elle se débarrasserait de moi. Que cela prendrait peut-être quelques mois, mais qu'elle finirait par me faire perdre mon travail.

Poppy se tut. Vers la fin de son récit, sa voix était montée dans les aigus et ses derniers mots étaient hachés. Mma Ramotswe se pencha vers elle et lui prit la main.

— Ne vous inquiétez pas, Mma, lui dit-elle avec douceur. Ce n'est que de l'intimidation. La plupart du temps, les personnes de ce genre ne mettent pas leurs menaces à exécution, n'est-ce pas, Mma Makutsi ?

Mma Makutsi dévisagea Mma Ramotswe avant de répondre. Pour sa part, elle pensait qu'au contraire les personnes de ce genre faisaient exactement ce qu'elles menaçaient de faire – voire pire –, mais le moment semblait mal choisi pour exprimer de tels doutes.

— C'est du vent, assura-t-elle. Il y a des gens, comme Mma Tsau, qui trouvent qu'au Botswana nous n'en avons pas suffisamment, alors ils se sentent obligés d'en fabriquer eux-mêmes. Il ne faut pas se faire de souci pour du vent, Mma.

Poppy tourna la tête vers elle et esquissa un faible sourire.

— J'espère que vous avez raison, Mma, dit-elle, mais je n'en suis pas si sûre. Et puis d'abord, qu'est-ce que c'est que cette lettre ? Ce n'est pas moi qui l'ai écrite.

Mma Ramotswe se leva et gagna la fenêtre. Poppy avait expliqué que les cuisiniers aimaient regarder le ciel à la moindre occasion ; eh bien, il en était de même des détectives privés. D'ailleurs, tout le monde devrait contempler le ciel le plus souvent possible, car celui-ci fournissait beaucoup de réponses, pour peu que l'on sache les y découvrir. Et à présent, tandis qu'elle observait le ciel par-dessus les cimes des acacias, tout en haut dans ce vide retentissant, il lui apparaissait avec une évidence éclatante que Poppy n'était pas la seule personne informée du vol de nourriture, et que l'autre personne au courant – qui était, là encore de façon évidente, la femme de ménage – avait saisi cette opportunité de faire chanter Mma Tsau. Malheureusement, c'était Poppy que l'on accusait, mais la vie était ainsi, non ? On faisait souvent porter le blâme aux mauvaises personnes, c'étaient les mauvaises personnes qui souffraient pour les méfaits commis par les bonnes personnes. Et le ciel, dans tout ça, le ciel qui voyait tout, demeurait neutre, absolument neutre.

Avec le chantage, songea Mma Ramotswe, un problème se posait : la victime avait commis un acte malhonnête au départ, mais elle attirait la sympathie dès lors qu'elle subissait des menaces. Pourtant, à la vérité, pourquoi plaindre une personne à qui l'on faisait simplement payer le mal dont elle s'était rendue coupable ? Mma Ramotswe se dit que ce problème méritait plus mûre considération. Peut-être même était-ce là une question à soumettre à Tante Emang…

CHAPITRE IV

Ce que les féministes veulent faire des hommes

Ce soir-là, Mma Makutsi prépara le dîner pour Mr. Phuti Radiphuti, son fiancé nouvellement acquis. Phuti Radiphuti était le fils de Mr. Radiphuti senior, homme d'affaires prospère, fermier et propriétaire du Magasin des Meubles Double Confort. Elle avait rencontré Phuti à un cours de danses de salon qu'ils fréquentaient tous deux, à l'Académie de danse et de mouvement. Il ne s'agissait pas d'une véritable académie, dans la mesure où elle ne disposait ni de locaux ni d'autre personnel que la femme qui encaissait l'argent des leçons et le professeur, Mr. Fano Fanope, danseur accompli qui avait dansé, avec succès, à Johannesburg et à Nairobi. La nouvelle des fiançailles s'était répandue comme une traînée de poudre dans le cours et un soir, à l'occasion d'une leçon, Mr. Fanope en avait fait l'annonce officielle, déclarant que l'académie était très fière d'avoir provoqué cette rencontre.

— La danse, avait-il déclaré dans son discours, c'est avant tout le contact entre les gens. Quand on danse avec un partenaire, on lui parle, même sans ouvrir la bouche. Nos mouvements révèlent ce que

57

nous avons au fond du cœur. C'est très important. Voilà pourquoi tant de couples se forment sur les pistes de danse. Et cela représente d'ailleurs une raison supplémentaire de réserver votre place pour la prochaine session, si vous ne l'avez pas encore fait. Mesdames, vous pourriez, comme Grace Makutsi, trouver ici un bon mari ; messieurs, regardez Mr. Phuti Radiphuti, qui a rencontré cette dame charmante ! Qu'ils soient heureux ensemble ! Et qu'ils connaissent de nombreuses heures de bonheur, sur les pistes de danse et ailleurs !

Ce discours avait touché Mma Makutsi, en dépit de l'allusion éhontée aux réservations pour la prochaine session. Elle aimait bien Mr. Fanope et savait que ces fiançailles lui faisaient vraiment plaisir. Elle savait aussi que ce plaisir était partagé par beaucoup de membres du cours, quoique pas par tous. L'une des femmes, qui portait le nom de Violet et avait étudié avec elle à l'Institut de secrétariat du Botswana, avait suivi le discours de Mr. Fanope avec un sourire narquois aux lèvres. Elle avait même glissé quelques mots à l'oreille de son voisin, qui avait réprimé un fou rire. Au début de la session précédente, Mma Makutsi avait eu un échange acerbe avec elle : Violet s'était permis un commentaire peu flatteur sur les chaussures vertes de Mma Makutsi (ces chaussures dont elle était si fière !) et n'avait pas hésité à se moquer de Phuti Radiphuti. Au prix d'un suprême effort de volonté, Mma Makutsi lui avait répondu avec la plus grande courtoisie, allant même jusqu'à la complimenter. Cela lui avait coûté, d'autant que Violet avait tout juste obtenu la moyenne à l'examen final de l'Institut de secrétariat du Botswana – 50 sur 100 – et que la seule chose qui l'intéressait, c'était, à l'évidence, de se trouver le mari le plus riche possible.

En voyant Violet ricaner ainsi, Mma Makutsi imagina un délicieux instant ce qu'elle pourrait lui dire si l'occasion se présentait. Et l'occasion se présenta, en fin de soirée, lorsque Violet se faufila près d'elle et lui lança :

— Dis donc, Mma, c'est adorable, ce que tu as fait là. C'est vraiment gentil de t'occuper comme ça de Mr. Radiphuti. Cela a dû être tellement dur pour lui de trouver une femme, et voilà que toi, tu te dévoues pour l'épouser ! Tu as un cœur d'or. Mais je n'en avais jamais douté...

Mma Makutsi considéra son ennemie. Du fond de sa mémoire lui revinrent des souvenirs de l'Institut de secrétariat du Botswana, de ces moments où les filles dans le vent, dont Violet était plus ou moins la meneuse, s'asseyaient au fond de la classe pour discuter de leurs triomphes en société ou glousser quand Mma Makutsi ou une autre élève tout aussi appliquée recevait des compliments de l'instructrice. Elle ne disait rien à l'époque, et sans doute valait-il mieux qu'elle ne dise rien à présent, mais la tentation était trop forte.

— Merci, Mma, répondit-elle. Mais de nous deux, je crois que c'est plutôt moi qui ai de la chance. Ce n'est pas donné à toutes les filles de trouver un mari comme celui-là...

Elle marqua un léger temps d'arrêt, avant de poursuivre :

— Mais j'espère que toi aussi, tu finiras par avoir de la chance. Qui sait ?

Elle ponctua ces mots d'un sourire plein de bonté.

Violet plissa les yeux.

— De la chance ? Oh, je ne sais pas, Grace Makutsi ! Je ne suis pas sûre que ce soit vraiment une chance de devoir se coltiner un type comme ça. Enfin, en tout cas, j'espère que tout se passera bien pour toi. Peut-être que ça ira. On ne sait jamais...

Mma Makutsi sentit son cœur battre la chamade. L'heure du coup de grâce avait sonné.

— Détrompe-toi, Mma, lança-t-elle. De la chance, j'en ai. À mon avis, n'importe quelle jeune fille qui entrerait dans une famille comme celle-là aurait beaucoup de chance. Et d'argent aussi...

Violet blêmit.

— D'argent ?

— Chut ! fit Mma Makutsi en posant un doigt sur ses lèvres. Ce n'est pas poli d'en parler. Je ne mentionnerai donc pas le Magasin des Meubles Double Confort. C'est l'une des affaires que possède mon fiancé, tu ne le savais pas ? Je ne dois pas en parler. Mais tu connais sûrement cette boutique, Mma ! Et si tu fais des économies, tu pourras peut-être y aller un jour t'acheter une chaise.

Violet ouvrit la bouche, mais pas un son n'en sortit. À cet instant, Mr. Fanope apparut et serra la main de Mma Makutsi, qu'il conduisit ensuite auprès d'une autre élève du cours qui souhaitait la féliciter. Mma Makutsi se retourna discrètement pour regarder Violet, qui jouait avec l'anse de son sac à main, mais qui leva alors les yeux, croisa son regard et ne put dissimuler sa jalousie. Il y avait un passé si lourd là-dessous : un passé de honte, de pauvreté et de combats. Et voilà que la voix de Mma Ramotswe parvenait à présent à ses oreilles :

— Ce n'est pas très gentil, ce que vous avez fait là, Mma Makutsi, lui disait-elle. Vous n'auriez pas dû agir ainsi.

— Je sais, convint Mma Makutsi. Mais je n'ai pas pu m'en empêcher, Mma.

Et le ton de Mma Ramotswe s'adoucit.

— Je sais bien, murmura-t-elle. Je sais bien.

Et c'était la vérité. Car malgré son immense bienveillance, Mma Ramotswe n'en était pas moins humaine, et elle comprenait qu'il existait dans la vie des moments où l'on ne pouvait résister à la possibilité d'un petit triomphe, surtout lorsque ce triomphe était de ceux qui font sourire quand on s'en souvient ensuite ; sourire pendant des heures et des heures.

Mma Makutsi et Phuti Radiphuti s'étaient organisé un emploi du temps agréable. Quatre soirs par semaine, Phuti venait dîner chez Mma Makutsi ; les trois autres jours, il prenait son repas chez sa tante, chez sa sœur et son mari et, le dimanche, chez son père. Les soirées chez ce dernier se révélaient parfois éprouvantes, car la mémoire du vieil homme n'était plus ce qu'elle avait été et il se répétait souvent, surtout lorsqu'il évoquait le bétail. Toutefois, Phuti était un fils dévoué et il restait assis des heures entières à écouter son père ressasser le même sujet : Phuti se souvenait-il du beau taureau qu'ils avaient vendu à cet habitant de Mahalapye ? Phuti se souvenait-il du prix qu'avait coûté cette vache brahmane acquise chez l'éleveur boer, dans le Sud, à Zeerust ? C'était une belle vache, mais quand était-elle morte ? Phuti se rappelait-il l'année ? Et ce taureau qui était parti à Mahalapye ? Phuti s'en souvenait-il ? En était-il sûr ?

À l'occasion, Mma Makutsi se joignait à ces dîners et elle assistait à ces mêmes conversations en luttant pour ne pas s'assoupir au cours des récits et des questions qu'ils suscitaient. Comment étaient les bêtes à Bobonong cette année ? Étaient-elles maigres ? Étaient-elles différentes des vaches du Sud ? Elle remarquait qu'en présence de son père, Phuti bégayait davantage. Lorsqu'il dînait chez elle, en revanche, ce défaut disparaissait presque, ce qui en disait long sur la confiance qu'elle était parvenue à lui insuffler. En compagnie de Mma Makutsi, il réussissait à prononcer des phrases longues et complexes, en setswana comme en anglais, sans hésiter ni bredouiller. Cette fluidité toute neuve, dont il était si fier, lui permettait de dire des choses qu'il n'avait jamais pu exprimer, et les mots lui venaient sans peine. Il parlait de son enfance, de sa vie de petit garçon. Il parlait de la vente des meubles et du confort, ou encore des différentes sortes de chaises et de fauteuils. Il parlait du bonheur, du bonheur immense, d'avoir trouvé quelqu'un avec qui il allait désormais partager son existence. C'était comme si une longue période de sécheresse s'achevait – une période qui avait occasionné un vaste domaine de silence, tout comme la sécheresse prive d'eau un marais salant et le transforme en poudre blanche. Et les mots étaient comme les gouttes d'une pluie longtemps attendue qui faisait enfin reverdir la terre.

Elle avait très vite remarqué quels plats affectionnait Phuti et elle s'arrangeait toujours pour les lui préparer. Il adorait la viande, bien sûr, et les côtelettes en particulier, qu'il mangeait avec les doigts en les rognant jusqu'à l'os avec enthousiasme. Il aimait la courge et les fèves baignant dans le beurre fondu. Et il aimait le *biltong*[1] haché recouvert de sauce et servi sur une purée de pommes de terre. Elle préparait tous ces plats pour lui et, à chaque fois, il la complimentait avec fougue sur ses talents de cuisinière, comme si c'était la première fois. Elle adorait ces compliments, ainsi que les gentilles choses qu'il lui disait sur son physique. Elle-même s'était toujours considérée comme une femme dotée de grosses lunettes et d'une peau difficile. Elle s'entendait à présent décrire comme l'une des plus belles plantes du Botswana, avec un nez qui lui rappelait… là, il marmonnait quelque chose et elle ne parvenait pas à bien comprendre ce que son nez évoquait pour lui, mais il s'agissait certainement d'une association positive et peu lui importait d'en savoir davantage.

Ce soir-là, après le drame du serpent, Mma Makutsi fit à Phuti le récit complet de ce qui resterait

1. Viande séchée. (*N.d.T.*)

sans doute une journée mémorable. Elle lui raconta le ridicule compte rendu qu'avaient fait les deux apprentis de leur rôle dans la chasse au serpent et il rit beaucoup. Puis elle décrivit la visite de Poppy et la curieuse histoire de vol de viande, ainsi que la menace de renvoi.

Lorsque Mma Makutsi eut terminé, Phuti demeura silencieux quelques minutes.

— Alors ? lança-t-il enfin. Comment allez-vous aider cette femme ? Je ne vois pas ce que vous pourriez faire pour lui éviter de perdre son travail. Comment allez-vous vous y prendre ?

— Nous pourrions faire en sorte que ce soit l'autre femme – la chef – qui perde son emploi, suggéra Mma Makutsi. C'est elle qui mérite d'être renvoyée.

Phuti parut dubitatif.

— Peut-être. Mais je ne vois pas de quelle façon y parvenir. Par où faut-il commencer dans une affaire pareille ? Que peut-on faire ?

Mma Makutsi lui resservit de la purée.

— Nous pourrions commencer par découvrir qui fait chanter Mma Tsau. Puis nous expliquerions à Mma Tsau que ce n'est pas Poppy.

Phuti estima cette suggestion sensée, puis une meilleure idée lui vint soudain à l'esprit, et il la soumit à Mma Makutsi en recommençant à manger sa purée.

— Bien sûr, il serait plus simple, n'est-ce pas, de dire à Mma Tsau que, si elle renvoie Poppy, nous irons nous-mêmes informer la direction de l'institut que c'est une voleuse de viande. Ce serait très facile.

Mma Makutsi le dévisagea.

— Mais il s'agirait de chantage ! protesta-t-elle. On ne peut pas s'amuser à menacer les gens comme ça !

— Je ne vois pas quel mal il y aurait, insista Phuti en essuyant un peu de purée qui lui collait au menton. Nous n'exigeons rien d'elle. Cela ne s'appelle pas du chantage si l'on n'obtient rien pour soi-même.

Mma Makutsi médita ces paroles. Peut-être Phuti avait-il raison, cependant, Mma Ramotswe lui avait toujours dit que la fin ne justifiait pas les moyens et que l'on ne réparait pas une injustice en commettant soi-même une mauvaise action. Malgré tout, il fallait reconnaître qu'il était déjà arrivé à Mma Ramotswe de mentir pour obtenir certaines informations. Elle avait un jour évoqué une loi qui n'existait pas afin de soutirer des renseignements à un fonctionnaire du gouvernement ; elle s'était fait passer pour une personne qu'elle n'était pas dans le but d'élucider un litige familial pour le compte d'un ancien ministre. La liste était bien longue, quand on y songeait. Dans chacun de ces cas, elle avait agi de la sorte afin de porter secours à des clients venus réclamer son aide et il fallait reconnaître qu'il ne s'agissait jamais de mensonges graves. Ces ruses n'en restaient pas moins des tromperies, et Mma Makutsi se demandait à présent si Mma Ramotswe avait raison sur ce point. Il faudrait qu'elle lui en parle, mais pour le moment, mieux valait sans doute changer de sujet. Elle leva les yeux de son assiette et demanda à Phuti ce qui s'était passé au magasin de meubles ce jour-là.

Ravi de laisser de côté les complexités philosophiques du chantage, ce dernier se lança avec empressement dans le récit d'un problème rencontré lors de la livraison d'une table dotée de trois pieds seulement. Interrogé, le fabricant s'était montré catégorique : la table en avait quatre en quittant l'atelier. Cependant, l'employé chargé de la réceptionner était tout aussi sûr de lui : il n'en restait plus que trois à l'arrivée.

— Peut-être serait-ce une nouvelle enquête à soumettre à Mma Ramotswe, suggéra Mma Makutsi. Elle est excellente pour élucider ce genre d'affaires.

La proposition fit sourire Phuti.

— Mma Ramotswe a plus important à faire, répondit-il. De graves crimes à élucider.

Ce n'était pas la première fois que l'on évoquait cette idée fausse devant Mma Makutsi. Certes, penser que la réputation de l'Agence N° 1 des Dames Détectives atteignait de tels sommets avait quelque chose de flatteur, mais elle ne pouvait laisser Phuti, son propre fiancé, demeurer dans l'ignorance de leurs véritables occupations.

— Non, déclara-t-elle. Mma Ramotswe ne résout pas de crimes. Elle s'occupe de toutes petites choses.

Pour illustrer cette petitesse, Mma Makutsi présenta son pouce et son index espacés d'un cheveu à peine.

— Toutefois, poursuivit-elle, ces toutes petites choses sont très importantes pour les gens. Mma Ramotswe m'a souvent dit que nos vies ne sont constituées que de petites choses. Et je crois qu'elle a raison.

Phuti estima lui aussi qu'elle disait vrai, même s'il éprouvait une certaine déception à devoir perdre ses illusions quant aux affaires que traitait l'Agence N° 1 des Dames Détectives. Il avait été assez agréable de trouver une fiancée, et plus encore une fiancée qui exerçait une profession aussi prestigieuse, et il s'était vanté auprès de ses amis d'être fiancé à une détective célèbre. Bien sûr, il n'avait dit là que la stricte vérité : Mma Makutsi était bel et bien détective, et peu importait, après tout, qu'elle ne s'occupe que d'affaires banales. D'ailleurs, tout compte fait, peut-être cela valait-il mieux. Une détective d'un autre genre pouvait se trouver exposée à des dangers, et ce n'était pas ainsi qu'il imaginait sa future épouse. La vente de meubles, elle, présentait fort peu de risques et il y aurait toujours une place pour elle si elle décidait d'abandonner la profession de détective. Il se demanda s'il devrait lui en parler, mais résolut de n'en rien faire. Il ne fallait pas qu'elle croie que leur mariage la conduirait à se soumettre à des projets qu'il avait pour elle. Il avait entendu dire que, de nos jours, les femmes rejetaient ce genre de conception,

65

ce qui était, pensait-il, une très bonne chose. Pendant trop longtemps, les hommes avaient considéré que les femmes devaient faire leurs quatre volontés et, si les intéressées remettaient désormais ce principe en question, il les approuvait de bon cœur. Cela ne signifiait pas pour autant qu'il fût favorable à ces personnes qui se faisaient appeler *féministes* : il avait un jour entendu l'une d'elles à la radio et l'agressivité qu'elle manifestait vis-à-vis du journaliste qui l'interviewait l'avait choqué. Cette femme avait accusé son interlocuteur d'arrogance lorsqu'il avait contesté une affirmation qu'elle avait faite, selon laquelle les hommes avaient, en règle générale, des capacités inférieures à celles des femmes. Elle lui avait dit que la domination masculine avait fait son temps et que les hommes comme lui seraient bientôt balayés par le féminisme. Mais si les hommes se faisaient balayer, s'était demandé Phuti Radiphuti, où se retrouveraient-ils ? Y aurait-il des maisons spéciales prévues pour eux, où on leur confierait de petites tâches à accomplir pendant que les femmes se chargeraient, à l'extérieur, de l'importante mission d'organiser le monde ? Les hommes seraient-ils autorisés à sortir de ces maisons à tour de rôle (accompagnés, bien sûr) ? Au cours des jours qui avaient suivi l'émission, l'idée d'être bientôt balayé avait préoccupé Phuti Radiphuti et il avait même fait un rêve, très réaliste et très désagréable – un cauchemar, en vérité –, dans lequel il était bel et bien balayé par une féministe géante armée d'un immense balai. L'expérience s'était révélée fort déplaisante, car il avait roulé par terre dans un nuage de poussière, subissant les coups de balai agressifs de cette femme terrifiante.

Il regarda Mma Makutsi. Celle-ci coupait sa viande. Elle maniait le couteau de façon experte pour pousser le morceau de steak sur sa fourchette. Un instant plus tard, la fourchette se trouvait devant sa bouche, qui s'ouvrait tout grand pour recevoir la nourriture, avant que les dents n'entrent en action. Elle lui sourit et esquissa un signe de tête en direction de son assiette pour l'encourager à poursuivre son repas.

Phuti baissa les yeux. L'idée que Mma Makutsi était peut-être une féministe venait de lui effleurer l'esprit. Mais pourquoi ? Mma Makutsi ne l'avait jamais menacé de le balayer… Pourtant, lorsqu'ils tournoyaient ensemble à l'Académie de danse et de mouvement, il n'y avait aucun doute quant à qui des deux menait la danse. Mr. Fano Fanope avait bien expliqué que c'était toujours à l'homme de guider, mais Phuti s'en était révélé incapable et il avait obéi avec docilité aux fermes impulsions données par les mains de Mma Makutsi rivées à ses épaules ou dans son dos. Cela faisait-il d'elle une féministe, ou juste une femme qui comprenait qu'un homme puisse n'avoir aucune idée de la façon dont on guidait une partenaire ? Il releva les yeux de son assiette et contempla Mma Makutsi. Il vit son propre reflet dans les verres des grosses lunettes rondes, il vit le petit sourire qui flottait sur les lèvres… Peut-être vaudrait-il mieux lui poser la question tout de go, se dit-il.

— Mma Makutsi, commença-t-il, je voudrais te demander quelque chose.

Mma Makutsi reposa son couteau et sa fourchette et son sourire s'élargit.

— Tu peux me demander ce que tu veux, répondit-elle. Je suis ta fiancée.

Il déglutit. Il était inutile d'y aller par quatre chemins.

— Es-tu féministe ? lâcha-t-il.

Sa nervosité le fit trébucher sur le mot « féministe », de sorte que le son « fé » résonna deux, voire trois fois. Son bégaiement s'était grandement amélioré depuis qu'il avait rencontré Mma Makutsi et qu'elle avait accepté de l'épouser, mais en certaines occasions, lorsque le stress se faisait intense, il lui arrivait de resurgir.

Mma Makutsi parut décontenancée par la question. Elle ne s'attendait pas à entendre son fiancé aborder ce sujet ; mais puisqu'il l'avait fait, il n'y avait qu'une réponse possible.

— Bien sûr, dit-elle.

Une fois ces mots prononcés, elle le considéra à travers ses grosses lunettes rondes, puis sourit encore.

— De nos jours, la plupart des femmes sont féministes. Tu ne le savais pas ?

Phuti Radiphuti fut incapable de réagir. Il ouvrit la bouche, mais les mots, qui se succédaient avec tant de fluidité depuis peu, semblaient l'avoir déserté. Il éprouvait soudain cette sensation ancienne et familière : un effort démesuré pour articuler les pensées qui lui venaient à l'esprit, à l'aide d'une voix qui, elle, ne venait pas, ou qui venait par saccades. Il s'était figuré un avenir de tendresse et d'affection mutuelle ; il lui semblait à présent qu'il ne connaîtrait que stridence et conflit. Il serait balayé, comme dans son rêve. Seulement, cette fois, il ne se réveillerait pas.

Il regarda Mma Makutsi. Comment avait-il pu, lui, toujours si prudent, se tromper à ce point sur une personne ? C'était caractéristique de sa chance : jamais aucune femme ne l'avait remarqué, jamais il ne lui serait donné de susciter l'admiration, de se voir témoigner du respect. Au contraire, il deviendrait la cible de critiques et de reproches incessants, car c'était bien là ce que les féministes réservaient aux hommes. Elles les remettaient à leur place ; elles les émasculaient ; elles les tournaient en ridicule. Tout cela serait désormais le lot de Phuti Radiphuti, qui contemplait sombrement sa fiancée, puis baissait les yeux vers son assiette, où refroidissaient les dernières cuillerées de nourriture, plat de lentilles, en un sens, qu'il n'avait plus la moindre envie d'avaler.

CHAPITRE V

Nouvelles conversations avec les chaussures

— Il y a énormément de travail aujourd'hui, soupira Mr. J.L.B. Matekoni en s'essuyant les mains sur un chiffon. J'ai tellement à faire que je n'aurai jamais assez de temps. Ce n'est pas facile.

Il leva les yeux au ciel, non sans avoir décoché, au préalable, un regard furtif à Mma Ramotswe.

C'était, elle le savait, sa façon à lui de l'appeler à la rescousse. Mr. J.L.B. Matekoni n'était pas homme à demander franchement un service. Il se montrait toujours prêt à aider autrui, comme l'avait si bien compris Mma Potokwane, la directrice de la ferme des orphelins, mais son manque d'assurance lui interdisait de solliciter quiconque. Cela ne l'empêchait pas de lancer par moments des appels au secours, maquillés en commentaires sur la pression qui menaçait à tout instant d'anéantir n'importe quel propriétaire de garage. Et cela en était un, auquel Mma Ramotswe, bien sûr, ne manquerait pas de répondre.

Elle regarda son bureau, qui était à peu près vide, à l'exception d'une facture, encore dans son enveloppe, mais indiscutablement une facture, et d'une lettre à demi rédigée destinée à un client. Elle serait ravie de remettre à plus tard ces deux corvées, aussi adressa-t-elle à Mr. J.L.B. Matekoni un sourire encourageant.

— Y a-t-il quelque chose que je puisse faire pour toi ? interrogea-t-elle. Je ne peux pas réparer les voitures à ta place, mais peut-être y a-t-il une autre façon de te rendre service ?

Mr. J.L.B. Matekoni jeta le chiffon noir de cambouis dans la corbeille à papier.

— À vrai dire, oui, Mma, répondit-il, maintenant que tu me le demandes. Et bien que cela ait quelque chose à voir avec les voitures, il ne s'agit pas de réparer quoi que ce soit. Je sais que tu es détective, Mma Ramotswe, et non pas garagiste.

— J'aimerais savoir réparer les voitures, affirma Mma Ramotswe. Peut-être que j'apprendrai un jour. Beaucoup de femmes en sont capables. Et beaucoup de jeunes filles étudient la mécanique.

— J'en ai vu, acquiesça Mr. J.L.B. Matekoni. Je me demande si elles sont comme…

Il ne termina pas sa phrase, mais tourna la tête en direction de l'atelier, où les deux apprentis, Charlie et le plus jeune – que personne n'appelait jamais par son nom –, effectuaient une vidange sur un camion.

— Non, répliqua Mma Ramotswe. Elles sont très différentes. Ces garçons-là passent leur temps à penser aux filles. Tu sais comment ils sont.

— Et les filles, elles ne pensent jamais aux garçons ? s'enquit Mr. J.L.B. Matekoni.

Mma Ramotswe réfléchit à la question. Elle n'était pas sûre de la réponse. Lorsqu'elle était petite, il lui arrivait de penser aux garçons de temps en temps, mais seulement pour se féliciter de la chance qu'elle avait d'être une fille. Plus tard, devenue sensible au charme masculin, elle s'imaginait certes, à l'occasion, qu'il pourrait être agréable de passer du temps en compagnie d'un garçon particulier, mais les garçons *en tant qu'espèce* n'occupaient pas ses pensées. Elle ne parlait pas non plus des garçons de la façon qu'avaient les apprentis d'évoquer les filles, mais il était possible que les jeunes filles modernes, elles, soient différentes. Elle avait surpris un jour une conversation entre adolescentes – des jeunes filles d'environ dix-sept ans – alors qu'elle cherchait un livre à la nouvelle librairie de Mr. Kerrison, et leurs propos l'avaient choquée. Elle n'avait pu dissimuler sa réaction et était demeurée un instant bouche bée, de sorte que les filles avaient remarqué son trouble.

— Quel est le problème, Mma ? lui avait lancé l'une d'elles. Vous ne connaissez pas les garçons ?

Mma Ramotswe avait cherché ses mots, désireuse de signifier à ces dévergondées qu'elle savait tout ce qu'il y avait à savoir sur les garçons – et ce, depuis de nombreuses années –, tout en manifestant clairement sa réprobation, mais aucune réponse ne lui était venue, et les filles étaient parties en gloussant.

Mma Ramotswe n'était pas prude. Elle savait ce qui se passait entre les gens, mais elle estimait qu'il existait un domaine de la vie qui devait rester privé. Les sentiments que pouvait inspirer une personne, pensait-elle, constituaient une affaire intime et l'on ne devait pas parler des mystères de l'âme. On ne devait pas le faire, car cela ne correspondait pas à la morale ancestrale du Botswana. Il existait une chose appelée la pudeur, considérait-elle, même si beaucoup semblaient l'oublier. Et que deviendrions-nous dans un monde privé de la morale ancestrale du Botswana ? Tout irait de travers, estimait Mma Ramotswe, car cela signifierait que chacun était libre d'agir à sa guise, sans se soucier des réactions d'autrui. Ce serait la parfaite recette de l'égoïsme, aussi explicite que si elle figurait en toutes lettres dans un livre de cuisine : *Prendre un pays, avec tout ce qu'il signifie, avec la bienveillance et le sourire de ses habitants, avec les traditions d'entraide ; ignorer tout cela ; bien mélanger ; ajouter des idées modernes ; faire cuire jusqu'à la ruine.*

La question de Mr. J.L.B. Matekoni planait dans l'air, attendant sa réponse. Mr. J.L.B. Matekoni regardait Mma Ramotswe d'un air interrogateur.

— Alors, Mma ? la pressa-t-il. Est-ce que les filles ne pensent jamais aux garçons ?

— Cela leur arrive, déclara Mma Ramotswe avec nonchalance. Enfin, quand elles n'ont rien de mieux à faire...

Elle sourit à son mari.

— Mais ce n'était pas de cela que nous parlions, reprit-elle. Quel service voudrais-tu que je te rende ?

Mr. J.L.B. Matekoni lui fournit des explications quant à la course dont il souhaitait la charger. Cela impliquait un voyage à Mokolodi, à une demi-heure de route vers le sud.

— Mon ami, celui qui vous a débarrassées du cobra, précisa-t-il. Neil. Il s'agit de lui. Il a là-bas un vieux pick-up, un *bakkie*, qu'il a gardé pendant des années. Et donc...

Mr. J.L.B. Matekoni marqua un temps d'arrêt. La mort d'un véhicule avait toujours pour lui quelque chose d'humiliant, car elle concernait son domaine d'expertise.

— Je n'ai rien pu faire pour lui. Il aurait fallu remplacer tout le moteur, Mma Ramotswe. Mettre de nouveaux pistons, de nouveaux segments...

Il secoua tristement la tête, à la manière d'un médecin confronté à un pronostic désespéré.

Mma Ramotswe leva les yeux vers le plafond.

— Je comprends, dit-elle. Cela a dû être bien triste.

— Mais heureusement, Neil ne s'en est pas débarrassé, reprit-il. Il y a des gens qui jettent leurs voitures, Mma Ramotswe. Si, si, ils les jettent !

Mma Ramotswe saisit un morceau de papier et entreprit de le plier. Mr. J.L.B. Matekoni avait besoin de temps pour en venir au fait, et elle savait attendre.

— J'ai un client qui a un demi-arbre cassé, reprit Mr. J.L.B. Matekoni. C'est une partie de l'essieu arrière. Tu le sais, n'est-ce pas ? Il y a un arbre qui descend au milieu jusqu'à atteindre le mécanisme de direction, au centre de l'essieu arrière. Et puis, sur chaque côté, il y a quelque chose qu'on appelle le demi-arbre, qui rejoint les roues.

Entre les mains de Mma Ramotswe, le morceau de papier avait été plié en deux, puis en triangle. Lorsqu'elle le leva à hauteur du visage, il lui sembla qu'il s'était mué en oiseau, en gros oiseau à large bec. Elle plissa les yeux et loucha, de sorte que les contours du papier devinrent flous, en se détachant sur les murs du bureau. Elle songea au client qui avait un demi-arbre cassé. Elle comprenait exactement de quoi parlait Mr. J.L.B. Matekoni, mais la façon qu'il avait d'exprimer les choses la faisait sourire. Mr. J.L.B. Matekoni considérait les voitures et leurs propriétaires comme interchangeables, ou comme formant virtuellement un tout, de sorte qu'il pouvait parler de gens qui perdaient de l'huile ou qui avaient besoin d'une carrosserie. Cela avait toujours amusé Mma Ramotswe et il lui arrivait de se représenter des personnes en train de marcher en laissant derrière elles une traînée de gouttelettes d'huile, ou qui avaient les bras et le corps cabossés. À présent, elle s'imaginait le client au demi-arbre cassé : un pauvre homme, qui boitait, peut-être, et que l'on avait rafistolé tant bien que mal.

— Alors, pourrais-tu aller me le chercher, Mma Ramotswe ? poursuivait Mr. J.L.B. Matekoni. Tu n'auras rien à porter : Neil le fera charger par ses hommes. Tout ce que tu as à faire, c'est aller là-bas et revenir. C'est tout.

L'idée de descendre à Mokolodi ne déplaisait pas à Mma Ramotswe. Bien qu'elle vécût à Gaborone, elle n'avait pas l'âme d'une citadine – fort peu de

Batswanas se sentaient citadins – et elle n'était jamais plus heureuse que lorsqu'elle se promenait dans le bush, avec l'air du pays, sec et chargé des senteurs d'acacias, qui emplissait les poumons. Sur la route de Mokolodi, elle conduirait vitres baissées et le soleil et l'air afflueraient dans l'habitacle de la petite fourgonnette blanche. Elle verrait alors se profiler devant elle le panorama de collines autour d'Otse et au-delà, verdoyantes au premier plan et bleues dans le lointain. Elle prendrait l'embranchement sur la droite et, quelques minutes plus tard, se retrouverait devant le portail de pierre du camp, où elle exposerait au gardien le motif de sa venue. Peut-être lui servirait-on une tasse de thé sur la véranda du bâtiment circulaire, avec son chaume et les arbres qui l'entouraient, et la vue sur les collines. Elle tenta de se rappeler s'ils avaient du thé rouge là-bas. Il lui semblait que oui, mais au cas où, elle en emporterait un sachet, qu'elle leur demanderait de lui préparer.

Mr. J.L.B. Matekoni la regardait avec appréhension.

— C'est tout, déclara-t-il. Je ne te demande rien d'autre.

Mma Ramotswe secoua la tête.

— D'accord, répondit-elle. Il n'y a pas de problème. Je réfléchissais.

— À quoi réfléchissais-tu ?

— Aux collines qu'il y a là-bas, répondit Mma Ramotswe. Et au thé. Enfin, à ce genre de choses…

Mr. J.L.B. Matekoni se mit à rire.

— Tu penses souvent au thé, n'est-ce pas ? Pas moi. Moi, je pense aux voitures et aux moteurs, enfin, à tout ça… Au cambouis. À l'essence. Aux suspensions. Voilà à quoi je pense.

Mma Ramotswe reposa la feuille de papier pliée.

— N'est-ce pas étrange, Mr. J.L.B. Matekoni ? interrogea-t-elle. N'est-ce pas étrange que les hom-

mes et les femmes pensent à des choses aussi différentes ? Toi, tu réfléchis aux problèmes mécaniques,
et moi, je suis là, à penser au thé…

— Oui, reconnut Mr. J.L.B. Matekoni. C'est étrange.

Il marqua une pause. Une voiture réclamait son
attention au garage et il devait l'examiner. Le propriétaire tenait à la récupérer l'après-midi même pour
ne pas être contraint de rentrer chez lui à pied.

— Je dois y aller, Mma Ramotswe, déclara-t-il.

Puis, avec un signe de tête à l'intention de Mma
Makutsi, il quitta le bureau et retourna à l'atelier.

Mma Ramotswe repoussa sa chaise et se leva.

— Voudriez-vous venir avec moi, Mma Makutsi ?
proposa-t-elle. C'est une belle journée pour une
balade.

Mma Makutsi leva les yeux de son bureau.

— Mais qui va s'occuper de l'agence ? demanda-
t-elle. Qui va répondre au téléphone ?

Mma Ramotswe contempla son reflet dans le miroir
accroché au mur derrière le classeur. Ce miroir avait
été posé à l'intention de Mma Makutsi et d'elle-même,
mais c'étaient surtout les apprentis qui l'utilisaient, les
innombrables fois où ils venaient se recoiffer.

— Et si je me faisais des tresses ? suggéra Mma
Ramotswe. Qu'en pensez-vous, Mma Makutsi ?

— Vos cheveux sont très bien comme ça, assura
son assistante. Mais bien sûr, ils seraient encore plus
beaux tressés.

Mma Ramotswe se retourna.

— Et vous ? s'enquit-elle. Si je me faisais des tresses, vous en feriez-vous aussi ?

— Je ne sais pas, répondit Mma Makutsi. Phuti
Radiphuti est assez vieux jeu. Je ne sais pas ce qu'il
pense des tresses.

— Vieux jeu ? s'étonna Mma Ramotswe. C'est
intéressant. Sait-il que vous, vous êtes une femme
moderne ?

75

Mma Makutsi réfléchit quelques instants à la question.

— Je pense que oui, répondit-elle enfin. Hier soir, il m'a demandé si j'étais féministe.

Mma Ramotswe tressaillit.

— Il vous a posé cette question ? Et qu'avez-vous répondu, Mma ?

— Je lui ai dit que de nos jours la plupart des femmes le sont, expliqua Mma Makutsi. Je lui ai répondu que oui, que j'étais féministe.

Mma Ramotswe soupira.

— Oh, ma pauvre ! Je ne suis pas sûre que ce soit la meilleure réponse à donner dans une telle situation. Les hommes ont une peur bleue des féministes.

— Mais je n'allais pas mentir ! protesta Mma Makutsi. Les hommes ne nous demandent tout de même pas de mentir ! Et puis, Phuti est très gentil. Il n'a rien à voir avec ces hommes qui ne peuvent pas supporter les féministes parce qu'ils manquent de confiance en eux.

Elle avait raison, songea Mma Ramotswe. Ceux qui prenaient un malin plaisir à rabaisser les femmes agissaient ainsi pour paraître plus intelligents. Toutefois, il convenait de faire preuve de circonspection avec ces choses-là. Le terme de *féministe* pouvait fâcher les hommes sans raison, car il existait des féministes qui se montraient extrêmement déplaisantes vis-à-vis d'eux. Ni elle-même ni Mma Makutsi n'en faisaient partie. Toutes deux aimaient les hommes, même si elles n'ignoraient pas que certains d'entre eux maltraitaient leurs compagnes. Jamais elles ne l'accepteraient, bien sûr, mais en même temps elles ne souhaitaient pas passer pour hostiles vis-à-vis de messieurs comme Mr. J.L.B. Matekoni ou Phuti Radiphuti – ou encore Mr. Polopetsi ; Mr. Polopetsi, si doux et si attentionné, et si malmené par la vie…

— Je ne vous demande pas de mentir, précisa Mma Ramotswe avec calme. Ce que je veux dire, c'est qu'il n'est pas très judicieux de parler de féminisme à un homme. Cela risque de le faire fuir. Je l'ai constaté à maintes reprises.

Elle espérait que les fiançailles ne seraient pas remises en cause par cet aveu. Mma Makutsi méritait de trouver un bon mari, d'autant qu'elle n'avait guère eu de chance jusque-là. Même si elle n'en avait jamais parlé, Mma Ramotswe savait qu'il y avait déjà eu quelqu'un dans sa vie – durant une très brève période – et qu'elle avait même épousé cet homme. Il était mort très brusquement et elle s'était retrouvée de nouveau seule.

Mma Makutsi déglutit avec difficulté. Phuti Radiphuti était demeuré anormalement silencieux après leur conversation, la veille au soir. Si Mma Ramotswe disait vrai, ses remarques inconsidérées allaient peut-être l'inciter à la fuir, à rompre leurs fiançailles. Cette pensée lui fit l'effet d'une douche froide. Jamais elle ne trouverait un autre homme ; jamais elle ne trouverait un fiancé comme Phuti Radiphuti. Elle en serait réduite à demeurer assistante-détective toute sa vie, à trimer pour gagner de quoi subsister, alors que les autres femmes épousaient des hommes argentés. Elle s'était vu offrir une chance en or et l'avait gâchée par sa stupidité et son manque de jugeote.

Elle baissa les yeux vers ses chaussures, ses chaussures vertes à doublure bleu ciel. Et les chaussures lui renvoyèrent son regard. *C'est votre faute, patronne !* lui dirent-elles. *Ne comptez pas sur nous pour vous balader à travers la ville à la recherche d'un nouveau mari. Vous en aviez un et maintenant il n'est plus là. Pas de chance, patronne. Pas de chance...*

Mma Makutsi fixa ses pieds. Manifester une telle insensibilité était typique des chaussures. Jamais elles ne faisaient de suggestions constructives. Elles vous censuraient, vous flanquaient des gifles, remuaient le couteau dans la plaie. Sans doute était-ce une revanche, après toutes les indignités qu'on leur faisait subir. La poussière. La négligence. Le cuir qui se craquelait. L'indifférence.

Elles gardèrent le silence en quittant Gaborone, alors que la sinistre silhouette du mont Kgale se profilait sur la droite et que la route se déroulait devant elles, sinueuse. Mma Ramotswe ne disait rien parce qu'elle observait la forme des collines et se souvenait du jour où, bien des années auparavant, elle avait emprunté cette route pour aller vivre chez sa cousine, qui s'était montrée si bonne envers elle. Mais il y avait eu aussi des voyages tristes, ou qui lui avaient paru gais à l'époque et qui, considérés avec le recul, s'étaient mués en mauvais souvenirs : ceux qu'elle avait effectués sur cette même route aux côtés de Note Mokoti, son premier mari. Note jouait de la trompette dans les hôtels de Lobatse et Mma Ramotswe l'accompagnait souvent là-bas, le cœur battant, remplie de fierté d'être l'épouse de cet artiste talentueux et admiré. Elle l'accompagnait, jusqu'au jour où elle s'était rendu compte qu'il n'appréciait pas sa présence auprès de lui. Et la raison en était qu'après les concerts il souhaitait emmener des femmes avec lui et qu'il ne pouvait le faire s'il avait sa jeune épouse à son bras. Elle se rappelait tout cela, et elle y réfléchissait, et elle tentait de chasser ces souvenirs de son esprit ; mais le passé douloureux a le don de s'imposer et, parfois, mieux vaut simplement le laisser revenir à son gré. Ces pensées passeront, se dit-elle. Elles passeront.

À ses côtés, murée elle aussi dans le silence, Mma Makutsi ruminait son bref échange avec Mma Ramotswe au sujet du féminisme. Mma Ramotswe avait vu juste, c'était sûr : par inadvertance, elle avait dû effrayer Phuti Radiphuti. Quelle stupidité ! Bien sûr qu'elle croyait à toutes ces choses pour lesquelles luttaient les féministes : le droit pour les femmes d'avoir un bon métier et d'être aussi bien rémunérées que les hommes à travail égal, et celui de se soustraire aux mauvais traitements de leur mari. Mais il ne s'agissait là que de bon sens, d'un désir de justice, rien d'autre, et le fait de défendre ces objectifs ne faisait pas de vous l'une de ces harpies qui affirmaient que les hommes étaient finis. Comment pouvait-on soutenir de telles bêtises ? Nous étions tous des êtres humains, hommes et femmes, et l'on ne pouvait dire que l'un de ces deux groupes comptait moins que l'autre. Elle, en tout cas, ne le dirait jamais, et voilà que Phuti Radiphuti s'imaginait à présent qu'elle en était convaincue.

Sur le bord de la route, un homme faisait du stop, agitant la main de haut en bas pour tenter d'arrêter un véhicule bien disposé. Les autres voitures le dépassaient sans lui prêter attention ; Mma Ramotswe, quant à elle, considérait que ce n'était pas là la façon de faire du Botswana traditionnel, aussi s'appliquat-elle à lui adresser un signe de main compliqué pour lui signifier qu'elle allait prendre le prochain embranchement. La petite fourgonnette blanche fit une embardée et, l'espace d'un instant, l'homme dut se figurer qu'elle tentait de le renverser. Toutefois, il comprit et esquissa à son tour un geste amical.

— Les gens disent que, de nos jours, il vaut mieux ne pas prendre d'auto-stoppeurs, déclara Mma Ramotswe. Mais comment peut-on être aussi égoïste ? Vous vous souvenez quand je suis tombée en panne et que j'ai dû regagner la ville à pied, en pleine nuit ? Quelqu'un s'est arrêté pour me prendre, n'est-ce pas ? Sinon, je serais peut-être encore au bord de la route, à attendre, en devenant de plus en plus maigre…

Mma Makutsi fut heureuse de se voir tirée de ses idées morbides de fiançailles rompues pour cause d'aveu de féminisme. Elle éclata de rire.

— C'est une façon comme une autre de suivre un régime ! commenta-t-elle.

Mma Ramotswe lui lança un regard en biais.

— Parce que vous pensez que je devrais en suivre un ? s'enquit-elle.

— Non, pas du tout ! se récria précipitamment Mma Makutsi. Je ne crois pas que vous devriez faire un régime.

Elle s'interrompit, avant d'ajouter :

— Mais certaines personnes pourraient le penser, bien sûr.

— Ah, fit Mma Ramotswe. Vous parlez sans doute de ces gens qui estiment qu'il n'est pas bon d'être de constitution traditionnelle. Il y en a, vous savez.

— Ces gens-là feraient bien de s'occuper de leurs affaires, rétorqua Mma Makutsi. Moi aussi, je suis de constitution traditionnelle. Pas aussi traditionnelle que vous, bien sûr, loin de là. Mais je ne suis pas vraiment mince.

Mma Ramotswe ne dit rien. Cette conversation ne lui plaisait guère, aussi fut-elle heureuse de voir apparaître l'embranchement pour Mokolodi. Elle ralentit et tourna le volant, afin de s'engager sur la route secondaire qui longeait un moment la nationale, avant de bifurquer en direction du bush. Lorsque la fourgonnette prit le virage, un observateur aurait pu constater que celle-ci penchait de façon marquée d'un côté, celui de Mma Ramotswe, tandis que celui de Mma Makutsi restait surélevé : cette vision aurait pu confirmer ce qui venait d'être dit par Mma Makutsi. Toutefois, il n'y avait personne pour le noter ; seulement le touraco gris perché sur sa branche d'acacia, l'oiseau avertisseur qui voyait tant de choses mais ne se confiait jamais à personne.

CHAPITRE VI

Comment affronter une autruche en colère

D'ordinaire, l'arrivée de Mma Ramotswe et de Mma Makutsi à la réserve naturelle de Mokolodi aurait donné lieu à des aboiements, des éclats de rire et de chaleureuses poignées de main. Mma Ramotswe était connue en cet endroit : son oncle, le frère aîné de son père, était également l'oncle par alliance (par un second mariage) du responsable de l'atelier. Et si cela ne suffisait pas, la fille de la cousine de Mr. J.L.B. Matekoni travaillait aux cuisines du restaurant. Il en était ainsi au Botswana, partout ou presque : des liens de parenté, plus ou moins atténués par la distance et le temps, unissaient les gens, tissant dans le pays une grande toile humaine d'affection et d'appartenance. Et dans les fibres de cette toile, des liens d'obligation interdisaient d'ignorer les besoins d'autrui. Nul ne devait mourir de faim ; nul ne devait se sentir rejeté ; nul ne devait demeurer seul avec un chagrin.

Ce jour-là cependant, il n'y avait personne à la grille et les deux femmes pénétrèrent dans le domaine sans être arrêtées. Elles garèrent la fourgonnette près d'un acacia. Plusieurs personnes avaient déjà eu la même idée, car tout coin d'ombre était prisé et les voitures se disputaient le droit de se préserver du soleil. En vertu de ses dimensions réduites, la petite fourgonnette blanche parvint à se glisser dans un étroit espace entre deux grosses voitures, laissant tout juste assez de place à Mma Ramotswe pour s'extirper de son siège et, en rentrant le ventre, se faufiler entre la fourgonnette et le véhicule voisin. Ce fut une opération délicate, qui lui rappela la récente conversation avec Mma Makutsi. Si elle se mettait au régime, sans doute y aurait-il moins d'occasions comme celle-ci, moins de moments où elle déplorerait que les passages et les portes de ce monde fussent trop étroits pour les personnes de constitution traditionnelle. Pendant un instant, elle resta coincée entre les deux véhicules, si bien que Mma Makutsi fut tentée d'intervenir, mais avec une dernière poussée, elle parvint à se libérer sans aide.

— Les gens devraient penser un peu aux autres quand ils se garent ! lança Mma Ramotswe. Il y a assez de place pour toutes les voitures au Botswana ! Ce n'est pas la peine de s'entasser comme ça !

Mma Makutsi fut sur le point de répondre, mais elle se ravisa. Mma Ramotswe avait choisi de se garer à cet endroit et les propriétaires des deux autres véhicules pouvaient fort bien estimer qu'elle était à l'origine de cette promiscuité. L'assistante n'en dit rien cependant, souriant seulement d'une façon qui pouvait signifier, soit sa parfaite approbation, soit une indulgence courtoise. En règle générale, les opinions de Mma Ramotswe se révélaient nuancées et Mma Makutsi y adhérait sans peine. Elle avait cependant remarqué que, dès lors que la petite fourgonnette blanche était en cause, sa patronne, par ailleurs fort raisonnable, devenait susceptible. Tout en regardant Mma Ramotswe s'extraire de l'étroit passage entre les voitures, elle se souvint que, quelques semaines auparavant, elle l'avait questionnée au sujet de deux grosses éraflures apparues sur un côté de la fourgonnette et de son aile cabossée. La vigueur qu'avait mise Mma Ramotswe à nier l'évidence l'avait stupéfiée.

— Ma fourgonnette n'a rien, avait répondu cette dernière. Rien du tout.

— Mais il y a une grosse éraflure là, avait protesté Mma Makutsi. Et une autre ici. Et là, c'est cabossé, regardez ! Ici. Je mets mon doigt dessus. Regardez !

Mma Ramotswe avait jeté un rapide coup d'œil à l'aile de la voiture et secoué la tête.

— Ce n'est rien, avait-elle dit avec dédain. Il y a juste eu un petit choc.

Mma Makutsi n'avait pu dissimuler sa surprise.

— Un petit choc ?

— Oui, avait confirmé Mma Ramotswe. Ce n'est pas grand-chose. J'ai garé ma voiture en ville et il y avait un poteau. Un poteau qui n'avait rien à faire là. Quelqu'un l'avait placé au mauvais endroit et il a heurté l'aile de la fourgonnette. Un petit choc. Rien de plus.

Mma Makutsi s'était mordu la lèvre. Les poteaux restaient immobiles ; les fourgonnettes, en revanche, bougeaient. Le regard menaçant de Mma Ramotswe lui signifiait toutefois qu'il serait déraisonnable de poursuivre la conversation et elle s'était tue. À présent, à Mokolodi comme cette fois-là, elle préféra s'abstenir de tout commentaire sur le sujet du stationnement, et des fourgonnettes en général, aussi se dirigèrent-elles toutes deux en silence vers le bureau. Une femme venait à leur rencontre pour les accueillir, une femme qui parut reconnaître Mma Ramotswe.

— Nous vous attendions, Mma, déclara-t-elle. Votre fiancé nous a téléphoné pour nous prévenir de votre arrivée.

— C'est mon mari maintenant, précisa Mma Ramotswe avec un sourire.

— Ah bon ? s'exclama la femme. Mais c'est très bien ! Vous devez être très contente, Mma. Mr. L.J.B. Matekoni est un homme formidable !

— J.L.B., rectifia Mma Ramotswe. Il se nomme Mr. J.L.B. Matekoni, et merci, Mma. C'est un excellent homme, en effet.

— J'aimerais bien en trouver un comme lui, reprit la femme. J'ai un mari là-bas à Lobatse, mais il ne vient jamais me voir. Et quand je descends à Lobatse, je ne le trouve jamais à la maison.

Mma Ramotswe fit claquer sa langue en signe de compassion, mais aussi de désapprobation. Compassion pour cette femme qui souffrait, et désapprobation vis-à-vis de ce qu'elle savait être un comportement masculin trop répandu. Les hommes de valeur ne manquaient pas au Botswana, mais il y en avait aussi qui semblaient croire que leurs femmes n'étaient là que pour les flatter et leur donner du bon temps quand ils en éprouvaient le désir. Ces hommes-là ne se demandaient jamais de quoi les femmes, de leur côté, pouvaient avoir besoin – de confort et de soutien, ainsi que d'aide dans les mille et une tâches à accomplir pour tenir une maison. Qui faisait la cuisine ? Qui entretenait la cour ? Qui lavait et nourrissait les enfants, qui les couchait le soir ? Qui sarclait les champs ? C'étaient les femmes qui effectuaient toutes ces choses et il serait bon, pensait Mma Ramotswe, que les hommes leur prêtent main-forte de temps à autre.

La vie se révélait encore plus difficile pour les femmes à présent, à l'heure où tant d'enfants se retrouvaient orphelins en raison de cette cruelle maladie qui sévissait. Il fallait s'occuper d'eux, et ce devoir revenait souvent aux grand-mères. Des grand-mères qui avaient peine à y faire face lorsque trop d'enfants venaient à elles. Mma Ramotswe en avait rencontré une qui élevait douze petits-enfants, tous orphelins. À soixante-quinze ans, un âge où l'on devrait pouvoir rester assis au soleil à contempler le ciel, elle se trouvait contrainte de faire la cuisine et le ménage et de se procurer de quoi nourrir ces douze bouches affamées. Et si elle venait à mourir, pensait Mma Ramotswe, que se passerait-il ?

La femme les accompagna jusqu'au bureau, un bâtiment de pierre rond dont le toit de chaume descendait très bas. À la porte, un homme venait d'apparaître. Il sembla d'abord surpris en apercevant Mma Ramotswe et Mma Makutsi, puis il esquissa un large sourire.

— *Dumela*[1], Mma Ramotswe, dit-il en saluant d'un signe de main. Et Mma…

— C'est Mma Makutsi, Neil, répondit Mma Ramotswe.

— Mais bien sûr ! s'exclama Neil. C'est la dame qui garde des cobras sous son bureau !

Mma Makutsi se mit à rire.

— Ne me parlez pas de cobras, Rra, protesta-t-elle. Je suis bien contente que vous ayez été présent ce jour-là. J'ai horreur des serpents.

— Ces apprentis ne s'y prenaient pas de la bonne façon, commenta Neil, souriant à ce souvenir. On ne jette pas des clés à molette sur un serpent. Cela ne fait pas avancer les choses.

Il fit signe aux deux femmes de le suivre sur la terrasse, devant la véranda. Plusieurs chaises étaient disposées à l'ombre d'un arbre. Ils s'y installèrent et contemplèrent la cime des arbres et, au-delà, les collines qui se dressaient dans le lointain. D'un coin d'herbe tout proche s'élevait le chant d'une cigale, grésillement persistant, appel à une autre cigale, mise

---

1. « Bonjour. » (*N.d.T.*)

en garde ou protestation contre une injustice, peut-être, perpétrée dans le monde des insectes. Au-dessus d'eux, le ciel était clair, vaste coupe bleue inondée de lumière. Tout était en ordre.

— C'est magnifique, déclara Mma Ramotswe. Si je travaillais ici, je crois que je ne ferais rien de la journée. Je passerais mon temps à admirer les collines.

— Vous pouvez venir admirer les collines quand vous voulez, Mma, assura Neil.

Il marqua un léger temps d'arrêt, puis reprit :

— Vous êtes ici pour affaires ?

Mma Ramotswe hocha la tête.

— Oui.

Neil fit signe à une jeune femme de leur apporter du thé.

— L'un de nos employés a des ennuis ? C'est cela ?

Il fronçait les sourcils.

L'espace d'un instant, Mma Ramotswe demeura perplexe. Puis elle comprit.

— C'est pour le travail de Mr. J.L.B. Matekoni que nous sommes là. Pour le garage.

Une fois le malentendu dissipé, ils restèrent assis à attendre le thé. La conversation s'étiola. Mma Makutsi semblait absorbée dans ses pensées et Mma Ramotswe se surprit à exprimer un point de vue sur un sujet dont elle ne savait rien, un projet de construction de maisons non loin de là. Puis on en vint à parler des autruches. Ce thème intéressait davantage Mma Ramotswe, quoique, à y bien réfléchir, que savait-elle des autruches ? Fort peu de chose.

— Nous en avons quelques-unes là-bas, expliqua Neil en montrant du doigt une petite colline qui s'élevait à mi-distance.

Mma Ramotswe suivit son regard. Le bush s'étendait à perte de vue, ponctué d'acacias qui formaient de petits parapluies un peu partout. Un carré de hautes herbes ondulant au gré du vent apparaissait à l'extrémité du camp. Tout allait bien ; à moins que… ? Pourquoi, se demanda Mma Ramotswe, ai-je cette sensation, non de peur, mais de quelque chose qui y ressemble ? De l'appréhension, peut-être. Cette sorte d'appréhension que l'on peut éprouver en plein jour, comme maintenant, alors que le soleil illumine la terre, que les ombres sont courtes et que plusieurs personnes – un ouvrier qui sifflotait en travaillant devant le bâtiment, une femme qui, appuyée sur son balai devant une fenêtre ouverte, bavardait avec quelqu'un posté à l'intérieur – sont présentes.

— Ce qu'il y a avec les autruches, poursuivit Neil, c'est qu'elles ne sont pas très intelligentes. Elles sont même complètement stupides, Mma Ramotswe.

— Un peu comme les poules ? suggéra Mma Ramotswe. Je n'ai jamais trouvé les poules très intelligentes.

Neil se mit à rire.

— C'est une bonne façon de présenter les choses ! Oui. On peut les voir comme des poules géantes !

Mma Ramotswe se souvint alors d'une conversation qu'elle avait eue avec Mr. Molefelo ; ce dernier avait vu un homme se faire attaquer par une autruche et mourir sur le coup.

— La différence, c'est que les poules ne sont pas dangereuses, fit-elle observer. Je n'ai jamais eu peur d'une poule.

Neil leva l'index en signe d'avertissement.

— En revanche, ne vous approchez pas des autruches, Mma Ramotswe ! Et si, un jour, vous vous retrouvez face à face avec une autruche énervée, savez-vous ce qu'il faut faire ? Non ? Je vais vous le dire : mettez votre chapeau au bout d'un bâton et levez-le très haut au-dessus de votre tête. L'autruche croira que vous êtes beaucoup plus grande qu'elle et elle reculera. Ça fonctionne à tous les coups. À tous les coups !

Les yeux de Mma Makutsi s'élargirent. Et si elle n'avait pas de chapeau sous la main ? Pourrait-elle mettre autre chose à l'extrémité du bâton ? L'une de ses chaussures, par exemple, l'une de ses chaussures vertes à doublure bleu ciel, peut-être ? Est-ce que l'autruche se moquerait d'elle ? On ne pouvait le savoir, mais il s'agissait malgré tout d'une information extraordinairement importante, qu'elle se promit de transmettre à Phuti Radiphuti la prochaine fois qu'elle le verrait. À cette pensée, le fil de ses réflexions s'interrompit net. Elle avait oublié une chose : il n'était pas certain qu'il y eût une prochaine fois…

Neil saisit la théière et servit ses invitées.

— Vous savez, Mma Ramotswe, il y a quelque chose dont j'aimerais vous parler. Je n'avais pas l'intention d'aller vous solliciter pour cela, mais puisque vous êtes là, vous êtes sans doute la personne idéale… Je sais que vous êtes… comment dites-vous ? détective ?

— Oui, Rra, répondit Mma Ramotswe. Je me dis détective. Et les gens disent comme ça aussi, d'ailleurs.

Neil s'éclaircit la gorge.

— Oui, évidemment. Eh bien, un détective, c'est peut-être ce qu'il nous faudrait ici…

Mma Ramotswe porta la tasse à ses lèvres. Elle avait vu juste : quelque chose n'allait pas. Elle l'avait senti et aurait dû se fier à son instinct, au lieu de le mettre en doute. Il existait toujours des moyens de savoir ce qui se passait : des signes, pour qui était prêt à voir, des bruits, pour qui était prêt à entendre.

Elle considéra Neil par-dessus sa tasse. C'était un homme franc et, bien qu'il ne fût pas motswana, il était né en Afrique et y avait toujours vécu. De telles personnes, même si elles étaient blanches, savaient et comprenaient aussi bien que n'importe qui. Si quelque chose inquiétait cet homme, il y avait nécessairement une raison à cela.

— Il m'avait bien semblé que quelque chose n'allait pas, Rra, murmura-t-elle. C'est une impression que j'ai eue. Juste une impression.

Tout en parlant, elle la ressentit à nouveau. Une appréhension. Elle se tourna à demi sur son siège pour regarder derrière elle, dans l'intérieur sombre du bâtiment, là où se trouvaient les cuisines. Une femme se tenait dans l'embrasure de la porte, immobile, mais Mma Ramotswe n'eut pas le temps de distinguer son visage, car elle recula, plongeant dans l'ombre.

Neil avait reposé sa tasse sur la table et, de l'index, il en suivait doucement le contour, comme pour en tirer un son. Mma Ramotswe remarqua que l'un de ses doigts portait des éraflures. Une ligne fine de sang séché sillonnait sa peau tannée et craquelée, la peau d'un homme qui, à longueur de journée, manipulait des pierres, des machines et des branches d'épineux. Silencieuse, elle attendit qu'il reprît la parole.

— D'habitude, c'est un endroit plutôt joyeux, ici, commença-t-il. Vous le savez, n'est-ce pas ?

C'était vrai. Mma Ramotswe se souvenait des tout premiers jours de Mokolodi, le projet rêvé par Ian Kirby, grand ami de Seretse Khama et de sa famille. Ian Kirby avait créé la réserve, puis l'avait léguée à la nation, afin que les habitants de Gaborone, toute proche, puissent voir vivre les animaux dans leur milieu naturel. C'était un lieu empreint d'idéal qui attirait les gens qui aimaient le bush et souhaitaient le préserver. Ces personnes-là n'avaient pas un caractère contestataire ou bagarreur. Ce n'était pas non plus le genre d'endroit où des individus malhonnêtes ou difficiles pouvaient souhaiter travailler. Et pourtant, il y avait un problème. Quel était-il ? Elle ferma les yeux, pour les rouvrir aussitôt. Il s'agissait de peur, on ne pouvait s'y tromper.

— Je sais que d'habitude cet endroit est plein de gaieté, affirma-t-elle. J'ai une cousine ici, vous savez. Elle a toujours adoré travailler dans cette réserve.

— Eh bien, désormais, tout a changé, rétorqua Neil. Il se passe quelque chose de très étrange et je n'arrive pas à comprendre quel est le problème. J'ai interrogé tout le monde, mais les gens ne desserrent pas les dents. Ils détournent les yeux. Vous savez ce qu'on fait quand on n'a pas envie de parler ? On détourne les yeux.

Mma Ramotswe le comprenait. Les gens ne parlaient pas toujours des problèmes qui les préoccupaient. Certains les gardaient pour eux parce qu'ils estimaient impoli d'importuner autrui avec leurs ennuis ; d'autres, parce qu'ils ignoraient comment les exprimer. Il existait encore de nombreuses raisons à ce genre de silence, mais la peur restait toujours une explication possible : on ne parlait pas de choses dont on craignait qu'elles se produisent. Les évoquer, c'était risquer de les provoquer.

— Dites-moi, Rra, interrogea Mma Ramotswe, comment savez-vous qu'il se passe quelque chose ? Qu'est-ce qui vous le fait penser ?

Neil saisit une feuille morte qui avait atterri sur la table et l'effrita lentement entre ses doigts.

— Comment je le sais ? Eh bien, je vais vous donner un exemple. Samedi dernier, j'ai voulu faire le tour de la réserve en voiture pendant la nuit. Cela m'arrive de temps en temps – nous avons eu des ennuis avec des braconniers par le passé et j'aime bien sortir à différents moments, tous feux éteints. Comme cela, si des personnes malintentionnées ont un projet en tête, elles savent que nous pouvons surgir à tout instant, de jour comme de nuit. En général, j'emmène deux ou trois hommes avec moi pour ce tour du domaine.

« En temps normal, je n'ai aucune difficulté à trouver des gens pour m'accompagner. Ils le font à tour de rôle, en se mettant d'accord entre eux. Eh bien, samedi dernier, la situation était tout à fait différente. Personne ne s'est porté volontaire et, quand je suis allé du côté des maisons pour voir ce qui se passait, j'ai trouvé toutes les portes fermées.

Mma Ramotswe fronça les sourcils.

— Les gens avaient peur ?

— C'est la seule explication que je vois, acquiesça Neil.

— Peur des braconniers ?

Neil haussa les épaules.

— C'est difficile à dire. Cela me paraît improbable. Le genre de braconniers que nous avons ici sont prêts à courir ventre à terre sur deux kilomètres pour ne pas se retrouver face à face avec l'un d'entre nous. Ce ne sont pas des hors-la-loi de grande envergure, me semble-t-il.

— Alors ? pressa Mma Ramotswe. Y a-t-il eu autre chose ?

Neil réfléchit quelques instants.

— Il s'est passé des événements un peu étranges, oui. Un jour, l'une des femmes qui travaillent aux cuisines s'est mise à hurler. Elle était hystérique. Elle disait qu'il y avait quelque chose dans la resserre.

— Et alors ? l'encouragea Mma Ramotswe.

— J'ai appelé une autre femme pour la calmer, expliqua Neil. Puis je suis allé jeter un coup d'œil à la resserre. Bien sûr, il n'y avait rien. Mais quand j'ai tenté d'y entraîner les deux femmes avec moi pour leur montrer que tout allait bien, elles ont refusé l'une comme l'autre. Toutes les deux. La femme qui était censée calmer son amie était dans le même état que la première.

Mma Ramotswe écoutait avec attention. Ce récit commençait à lui évoquer certaines choses. Même si c'était devenu de moins en moins fréquent, cela continuait à se produire. La sorcellerie. Quelqu'un pratiquait la sorcellerie et, dès lors, tous les raisonnements, toutes les idées saines et toute la rationalité du monde ne servaient plus à rien. Juste sous la surface s'ouvraient des gouffres insondables de terreurs et de superstitions, que des événements comme celui-ci venaient parfois révéler. Cela se produisait moins souvent que jadis, mais cela n'avait pas disparu.

Elle consulta sa montre. Mr. J.L.B. Matekoni avait besoin de son arbre, et Mma Makutsi et elle-même ne pouvaient rester à bavarder plus longtemps.

— Je reviendrai très bientôt, promit Mma Ramotswe, et je mènerai ma petite enquête. Entre-temps, nous devons prendre ce demi-arbre dont a besoin Mr. J.L.B. Matekoni. C'est le plus urgent. Le reste peut attendre.

Mma Ramotswe retourna à sa fourgonnette et la rapprocha de l'atelier, tandis que Neil et Mma Makutsi se rendaient là-bas à pied. Il ne fallut que quelques minutes pour trouver le demi-arbre parmi un monceau de pièces détachées graisseuses. L'objet fut alors chargé à l'arrière de la petite fourgonnette blanche, sur un lit de vieux journaux. Mma Ramotswe constata que les deux hommes qui manipulèrent l'arbre pour le placer dans le véhicule le firent dans un silence de plomb, marmonnant seulement un vague salut entre leurs dents. Une fois leur tâche effectuée, ils retournèrent aussitôt dans l'atelier.

— Vous n'oublierez pas de revenir bientôt ? s'enquit Neil, alors que Mma Ramotswe prenait congé.

— C'est promis, répondit Mma Ramotswe. Ne vous inquiétez pas. Je reviendrai et je bavarderai avec deux ou trois personnes.

— À condition qu'elles le veuillent bien, souligna sombrement Neil. On dirait que quelqu'un leur a collé du Scotch sur les lèvres.

— C'est probablement ce qui s'est passé, répondit Mma Ramotswe avec calme. Le problème, c'est qu'on ne voit pas le Scotch.

Elle parcourut en sens inverse le chemin de Mokolodi pour rejoindre la route de Gaborone. À ses côtés, Mma Makutsi restait murée dans un mutisme morose, absorbée dans la contemplation du paysage qui défilait. Mma Ramotswe lui jeta un coup d'œil et fut sur le point de parler, mais se ravisa. Elle se sentait cernée par le silence : le silence des ouvriers de l'atelier, le silence de Mma Makutsi, le silence du ciel.

Elle regarda de nouveau sa compagne. En fait, elle avait été sur le point de lui dire : « Vous savez, Mma Makutsi, j'aurais mieux fait de venir là toute seule, vu l'attitude sympathique que vous avez. » Mais elle avait préféré s'en abstenir. Si je dis cela, avait-elle pensé, je suis sûre qu'elle va fondre en larmes. Elle voulut poser la main sur le bras de Mma Makutsi afin de la réconforter, mais cela lui fut impossible. Elles arrivaient devant un virage et risquaient de se retrouver dans le fossé si elle s'avisait de lâcher le volant. Cela ne ferait guère avancer les choses, songea Mma Ramotswe.

CHAPITRE VII

La vie compliquée de Mr. Polopetsi

Mr. J.L.B. Matekoni fut ravi du demi-arbre venu de Mokolodi. L'adapter à la voiture était une tâche délicate, qui nécessitait l'assistance des deux apprentis – à qui il fallait cependant tout expliquer. Le lendemain matin, tandis que tous trois conféraient au-dessous du véhicule hissé sur le pont de graissage, l'on confia donc à Mr. Polopetsi, dernier ajout en date au personnel du Tlokweng Road Speedy Motors, le travail de routine du garage. Mr. Polopetsi avait été recruté à la suite de son accident avec Mma Ramotswe, qui l'avait renversé alors qu'il roulait à vélo. Elle avait confié la bicyclette à réparer au garage, et c'était en venant la récupérer qu'il leur avait révélé son histoire : alors qu'il travaillait à la pharmacie de l'hôpital, il avait fourni un mauvais remède à une patiente et s'était retrouvé en prison. Il n'était pas responsable de l'erreur, mais le vrai coupable, lui, avait menti, et le juge avait considéré qu'une condamnation, assortie d'une peine de prison ferme, était nécessaire pour apaiser l'indignation de la famille de la victime. Ce récit, ajouté à la situation critique du pauvre homme, avait ému Mma Ramotswe, qui l'avait fait engager au garage. Cette décision s'était révélée positive : Mr. Polopetsi était un travailleur méthodique, qui avait très vite appris à effectuer les révisions, ainsi que quelques réparations de base. C'était un homme intelligent, mais aussi discret, et Mma Ramotswe ne doutait pas qu'un jour il se rendrait utile à l'Agence N° 1 des Dames Détectives. Bien sûr, il n'y serait pas engagé officiellement : c'était inenvisageable pour une agence de dames détectives. Toutefois, il pourrait réaliser certaines tâches nécessitant une intervention masculine. Il serait commode, par exemple, de disposer de lui pour savoir ce qui se passait dans tel ou tel bar si une affaire l'exigeait. Ce type de mission ne convenait guère, en effet, à une dame détective, qui se verrait sans cesse contrainte de repousser les avances des hommes qui importunaient les femmes dans ces établissements.

C'était un plaisir d'avoir Mr. Polopetsi au garage, entre autres parce qu'il venait souvent prendre le thé avec Mma Ramotswe et Mma Makutsi. Mr. J.L.B. Matekoni était généralement trop occupé pour s'accorder une pause et les apprentis aimaient boire leur thé assis sur des bidons d'huile retournés, en regardant passer les filles sur la route. Mr. Polopetsi, lui, avait pris l'habitude d'entrer dans l'agence, sa tasse à la main, et de demander à Mma Makutsi s'il y avait assez de thé pour lui. On lui répondait invariablement qu'il était le bienvenu, on l'invitait à s'asseoir sur la chaise réservée aux clients et l'on remplissait sa tasse. En réponse, Mr. Polopetsi utilisait toujours la même formule, répétée comme un mantra : « Vous êtes bien aimable, Mma Makutsi. Des dames aussi gentilles que vous et Mma Ramotswe, il n'y en a pas beaucoup. C'est la vérité. » Il ne semblait pas se rendre compte qu'il disait toujours la même chose, et les dames se gardaient bien de le lui faire remarquer. « Nous répétons tous les mêmes choses », avait un jour expliqué Mma

Ramotswe à son assistante. « Vous avez raison, Mma Ramotswe », avait répondu Mma Makutsi, une phrase qu'elle employait très souvent.

Ce matin-là, Mr. Polopetsi entra dans le bureau en essuyant la sueur de son front.

— Je crois que c'est l'heure du thé, déclara-t-il en posant sa tasse sur le classeur métallique. Il fait très chaud dans l'atelier. Savez-vous pourquoi cela rafraîchit de boire un liquide chaud comme le thé, Mma Ramotswe ?

Mma Ramotswe avait beaucoup réfléchi à cette question, mais elle n'était jamais parvenue à une conclusion. Tout ce qu'elle savait, c'était que le thé la rafraîchissait bien davantage qu'un verre d'eau froide.

— Expliquez-le-moi, Rra, répondit-elle. Pendant ce temps, Mma Makutsi va mettre l'eau à bouillir.

— Parce que le liquide chaud nous fait transpirer, dit Mr. Polopetsi. Ensuite, quand la sueur sèche sur la peau, cela donne une sensation de fraîcheur. C'est comme ça que ça marche.

Mma Makutsi appuya sur le bouton de la bouilloire.

— C'est invraisemblable, lança-t-elle d'un ton sec.

Indigné, Mr. Polopetsi se tourna vers elle.

— C'est pourtant la vérité, rétorqua-t-il. Je l'ai appris au cours de pharmacie que nous avions à l'hôpital. Le Dr Moffat nous donnait des conférences sur le fonctionnement du corps.

Cet argument n'impressionna pas Mma Makutsi.

— Moi, je ne transpire jamais quand je bois du thé, affirma-t-elle. Mais cela me rafraîchit malgré tout.

— Eh bien, vous n'êtes pas obligée de me croire, répliqua Mr. Polopetsi. J'ai pensé que cette explication pouvait vous intéresser, voilà tout.

— Moi, je vous crois, intervint Mma Ramotswe, apaisante. Je suis sûre que vous avez raison.

Elle jeta un coup d'œil à Mma Makutsi. Quelque chose troublait l'assistante, cela ne faisait aucun doute.

Manifester une telle brusquerie vis-à-vis de Mr. Polopetsi, qu'elle aimait beaucoup, ne lui ressemblait
guère. Cela devait être lié à sa conversation avec Phuti
Radiphuti – et à l'aveu de sa sympathie pour le féminisme. Avait-il pris cette remarque à cœur ? Mma
Ramotswe espérait que non ; l'idée que les fiançailles
de Mma Makutsi puissent tourner court l'effrayait.
Après toutes ces années d'attente et d'espérance, Mma
Makutsi avait enfin trouvé un homme, et voilà
qu'elle se prenait à tout gâcher en le faisant fuir. Oh,
imprudente, imprudente Mma Makutsi ! pensa Mma
Ramotswe. Et cet homme ! Fallait-il être insensé pour
prendre au sérieux une déclaration aussi anodine !

Mma Ramotswe sourit à Mr. Polopetsi.

— Je connais la femme du Dr Moffat, dit-elle. Je
peux aller lui poser moi-même la question. Elle en
parlera au docteur et, ainsi, nous tirerons sans peine
cette affaire au clair.

— C'est déjà très clair pour moi, déclara Mr. Polopetsi. Il n'y a aucun doute dans mon esprit, en tout cas.

— Alors, répondit Mma Ramotswe, il est inutile de
se tourmenter davantage.

— Je ne me tourmente pas pour ça, riposta
Mr. Polopetsi en s'installant sur la chaise des clients.
J'ai bien d'autres soucis en tête. Contrairement à cer-
taines personnes…

Bien que prononcés à mi-voix, ces derniers mots
n'échappèrent pas à Mma Ramotswe. En revanche,
Mma Makutsi, à qui ils étaient destinés, ne les entendit pas. Debout près de la bouilloire, elle attendait le
déclic en observant le petit gecko blanc accroché au
plafond par les minuscules ventouses de ses pattes.

Mma Ramotswe en profita pour changer de sujet.
Elle avait découvert que, quand Mma Makutsi était
dans un tel état d'esprit, la meilleure tactique consistait à éviter les controverses.

— Ah bon ? fit-elle. D'autres soucis ? De quoi s'agit-il, Rra ?

Mr. Polopetsi lança un coup d'œil à Mma Makutsi par-dessus son épaule. Mma Ramotswe s'en aperçut et lui adressa un discret signe de main, comme pour lui dire : « Ne vous occupez pas d'elle. » Il comprit aussitôt.

— Je suis très fatigué, Mma, avoua-t-il. Voilà mon problème. Faire tant de chemin à vélo par une chaleur pareille, ce n'est pas facile.

Mma Ramotswe regarda par la fenêtre. Le soleil, ce jour-là, était implacable ; il pesait sur le sommet du crâne, comme s'il prenait un malin plaisir à l'enfoncer. Même le matin de bonne heure, juste après le petit déjeuner – l'heure idéale pour se promener dans son jardin et inspecter les arbres, par exemple –, il était déjà chaud et pénible à supporter. Et il en serait ainsi, elle le savait, jusqu'à l'arrivée des pluies, fraîches et bienfaisantes, comme une tasse de thé destinée à la terre, songea-t-elle. Elle se retourna vers Mr. Polopetsi. Oui, le pauvre homme avait l'air exténué, assis sur le siège des clients, avachi, en sueur.

— Ne pourriez-vous pas prendre le minibus ? suggéra-t-elle. La plupart des gens le font.

Mr. Polopetsi se décomposa davantage encore.

— Vous êtes venue chez moi, Mma Ramotswe. Vous savez où j'habite. Aucun minibus ne passe par là. Il faut marcher longtemps pour atteindre l'arrêt le plus proche. Et en plus, les bus sont souvent en retard.

Mma Ramotswe hocha la tête. La vie n'était pas facile lorsqu'on vivait hors de la ville. Le coût des logements à Gaborone ne cessait d'augmenter et pour la plupart des gens, habiter la capitale représentait un rêve inaccessible. Il fallait donc se contenter de quartiers comme Tlokweng, voire plus éloignés encore, ce qui impliquait un long trajet pour se rendre au travail. Tout allait bien, supposait-elle, lorsqu'on était jeune et vigoureux, mais Mr. Polopetsi, même s'il n'avait pas encore atteint la cinquantaine, ne paraissait pas très robuste : il était même chétif, et avec cet aspect tout fripé qu'il avait… Si une violente bourrasque arrivait tout à coup du Kalahari, il serait aussitôt soulevé dans les airs et emporté au loin. Elle l'imagina, en pantalon et en chemise kaki, bras écartés, ramassé par le vent et projeté à travers le ciel jusqu'en Namibie, puis lâché au sol, désorienté, en terre étrangère. Elle vit alors un cavalier herero arriver vers lui au grand galop et lui hurler quelque chose, tandis que Mr. Polopetsi se relevait, essuyant la poussière de ses vêtements, et tentait de tout expliquer en désignant le ciel avec de grands gestes.

— Pourquoi souriez-vous, Mma Ramotswe ? interrogea Mr. Polopetsi.

Elle se redressa.

— Je suis désolée, dit-elle. Je pensais à autre chose.

Mr. Polopetsi remua sur sa chaise.

— Cela avait l'air drôle, marmonna-t-il.

Mma Ramotswe détourna le regard.

— Il y a des choses amusantes qui viennent à l'esprit, expliqua-t-elle. Parfois, on songe à un sujet grave et, tout à coup, quelque chose de très drôle se présente en pensée. Mais dites-moi, Rra : et si vous achetiez une voiture ? Cela ne vous serait-il pas possible ? Maintenant que vous avez un salaire. Et votre femme travaille aussi, non ? Ne pourriez-vous pas vous offrir une voiture bon marché, une vieille occasion qui roule encore ? Mr. J.L.B. Matekoni pourrait vous en procurer une.

Mr. Polopetsi secoua la tête avec véhémence.

— Je n'ai pas du tout les moyens de me payer une voiture, affirma-t-il. Pourtant, ce serait l'idéal, cela résoudrait tous mes problèmes. Je pourrais emmener des gens avec moi et leur faire partager l'essence. Mon voisin ne travaille pas très loin d'ici. Il viendrait avec moi, et il a aussi un ami. Ils seraient très contents de faire le trajet dans ma voiture. Mon frère, lui, il en a une. Il a de la chance.

Le thé était prêt à présent. Mma Makutsi apporta la tasse de Mr. Polopetsi, qu'elle plaça au bord du bureau de Mma Ramotswe, juste devant lui.

— Vous êtes bien aimable, Mma Makutsi, déclara Mr. Polopetsi. Des dames aussi gentilles que vous et Mma Ramotswe, il n'y en a pas beaucoup. C'est la vérité.

Mma Ramotswe accueillit le compliment d'un bref signe de tête.

— Mais votre frère, Mr. Polopetsi, s'enquit-elle. Il est riche ?

Mr. Polopetsi prit une gorgée de thé.

— Non, répondit-il. Il n'est pas riche du tout. Mais il a une bonne place. Il travaille dans une banque. Évidemment, ce n'est pas avec ce qu'il gagne qu'il a pu acheter sa voiture. C'est mon oncle qui lui a prêté l'argent. Il lui a accordé l'un de ces prêts que l'on rembourse par des mensualités si faibles qu'on ne s'en aperçoit même pas. Mon oncle est généreux. Et il a beaucoup d'argent à la banque.

— Un oncle riche ? s'étonna Mma Ramotswe. Mais cet oncle ne pourrait-il pas vous prêter de l'argent, à vous aussi ? Pourquoi vous préférerait-il votre frère ? Un oncle devrait tout de même…

Elle s'interrompit. Il existait une raison parfaitement évidente à la préférence que manifestait cet oncle pour l'un des deux frères, et elle comprit, à l'embarras qu'elle constata dans l'attitude de son interlocuteur, qu'elle avait vu juste.

— Il ne m'a pas pardonné, expliqua simplement Mr. Polopetsi. Il ne m'a pas pardonné de… d'être allé en prison. Il dit que j'ai amené la honte sur toute la famille.

Mma Makutsi, qui s'était servie et revenait à présent s'asseoir à sa place, releva vivement la tête à ces mots.

— Mais il ne doit pas penser ça ! protesta-t-elle. Vous n'êtes pour rien dans ce qui vous est arrivé ! C'était une erreur judiciaire !

— J'ai essayé de le lui expliquer, assura Mr. Polopetsi en se tournant vers elle. Mais il n'a rien voulu entendre. Il a refusé. Il ne faisait que crier.

Il hésita.

— C'est qu'il est vieux, vous comprenez, ajouta-t-il. Souvent, les vieux ne veulent pas écouter.

Un silence s'installa, au cours duquel Mma Ramotswe et Mma Makutsi digérèrent l'information. Mma Ramotswe comprenait. Il y avait au Botswana de vieilles personnes – en particulier des hommes – qui avaient des idées très arrêtées sur les choses et qui étaient réputées pour l'obstination qu'elles mettaient à soutenir leurs propres points de vue. Son père à elle, le défunt Obed Ramotswe, n'en faisait pas partie. Au contraire, il avait toujours gardé l'esprit ouvert. En revanche, elle se souvenait de certains amis à lui qui se montraient difficiles à convaincre. Il avait un jour discuté avec l'un d'entre eux, hostile à l'indépendance : cet ami voulait voir le Protectorat continuer. Selon lui, mieux valait avoir quelqu'un qui s'occupe de protéger le pays contre les Boers, et il avait encore soutenu cela quand Obed lui avait demandé : « Mais ces troupes censées nous protéger, où sont-elles ? Où sont-elles ? » Bien sûr, il n'y en avait aucune. Il pouvait comprendre, en revanche, la loyauté envers la reine Élisabeth. C'était une grande amie de l'Afrique, affirmait-il. Elle l'avait toujours été, car elle comprenait parfaitement des idées comme la droiture et le devoir ; elle savait pourquoi, pendant la guerre, de nombreux hommes du Protectorat étaient allés combattre. C'étaient des braves, qui avaient vu des choses terribles en Italie et en Afrique du Nord ; à présent, tout le monde les avait oubliés. « Nous ne devons pas oublier ces choses-là, disait-il. Nous ne devons pas les oublier. »

— Je comprends, répondit-elle à Mr. Polopetsi. Quand quelqu'un a une idée en tête, il est parfois très difficile de le faire changer d'avis. Les vieilles personnes sont souvent comme cela.

Elle marqua un temps d'arrêt.

— Comment s'appelle votre oncle, Mr. Polopetsi ? Et où habite-t-il ?

Mr. Polopetsi le lui dit. Puis il termina sa tasse et se leva. Il ne vit pas Mma Ramotswe saisir un crayon et griffonner quelques mots sur un morceau de papier. Il ne la vit pas non plus glisser ce morceau de papier dans son corsage, l'endroit le plus sûr pour conserver les choses. Jamais elle n'oubliait d'accomplir les tâches répertoriées en ce lieu particulier, et elle n'oublierait pas non plus les renseignements qu'elle venait de noter – Mr. Kagiso Polopetsi, lotissement 2 487, Limpopo Drive – et à la suite desquels elle avait ajouté « *vieil oncle cruel* ».

Mma Makutsi rentra chez elle de bonne heure cet après-midi-là. Elle expliqua à Mma Ramotswe qu'elle avait le repas de Phuti Radiphuti à préparer et qu'elle tenait à ce qu'il fût délicieux. Mma Ramotswe trouva l'idée excellente, ajoutant qu'il serait également judicieux de reparler du féminisme avec lui.

— Tranquillisez-le, conseilla-t-elle. Expliquez-lui que vous n'êtes pas de ces femmes qui ne le laisseraient pas en paix une seconde. Que vous êtes quelqu'un de très traditionnel, dans le fond.

— Entendu, répondit Mma Makutsi. Je vais lui montrer qu'il n'a pas à s'inquiéter, que je ne serai pas là à le critiquer à longueur de journée.

Elle se tut et contempla Mma Ramotswe, qui lut alors sur son visage une pénible douleur. Aussitôt, la compassion envahit Mma Ramotswe. Pour elle, les choses étaient différentes : elle avait épousé Mr. J.L.B. Matekoni et se sentait en sécurité. Mais si Mma Makutsi perdait Phuti Radiphuti, elle n'aurait plus rien d'autre que la perspective d'un dur labeur pour le restant de ses jours, à tenter de subsister avec le maigre salaire qu'elle récoltait et le petit supplément que lui rapportait l'École de dactylographie pour hommes du Kalahari. Cette école représentait une bonne source de revenus additionnels, mais l'obligeait à travailler si dur qu'il ne lui restait presque plus de temps pour se reposer.

De retour chez elle, Mma Makutsi prépara le dîner avec le plus grand soin. Elle mit une grosse marmite de pommes de terre à bouillir et un épais ragoût de bœuf à mijoter, auquel elle ajouta carottes et oignons. Ce dernier dégageait un délicieux fumet ; elle y plongea l'index pour le goûter. Cela manquait un peu de sel, mais une fois l'assaisonnement rectifié, c'était parfait. Elle s'installa alors pour attendre Phuti Radiphuti. Celui-ci arriverait à sept heures et il était six heures et demie, aussi feuilleta-t-elle un magazine, mais sans parvenir à se concentrer, durant la demi-heure restante.

À sept heures et demie, elle se posta à la fenêtre et, à huit heures, elle marcha jusqu'à la grille pour observer la route. Il faisait chaud et l'air portait de lourdes odeurs de cuisine et de poussière. De la maison voisine parvenaient le bruit de la radio ainsi que des éclats de rire. Elle sentit le frôlement d'un insecte sur sa jambe.

Elle remonta l'allée jusqu'à la porte, entra, s'assit sur le sofa et fixa le plafond. Je suis une fille de Bobonong, se dit-elle. Je suis une fille de Bobonong avec des lunettes. J'avais trouvé quelqu'un qui acceptait de m'épouser, quelqu'un de très gentil, mais je l'ai fait fuir avec ma manie de parler à tort et à travers. Maintenant, je me retrouve de nouveau seule. Voilà l'histoire de ma vie. L'histoire de Grace Makutsi.

CHAPITRE VIII

Entretien dans la petite fourgonnette blanche

Le lendemain, Mma Ramotswe partit voir Mma Tsau, la cuisinière pour laquelle travaillait Poppy, l'épouse de l'homme qui devait son apparence prospère à la nourriture du gouvernement. C'était une journée propice, dernier vendredi du mois, jour de paie pour beaucoup, le terme d'une période de besoin qui survenait invariablement en fin de mois, quelle que fût l'attention attachée aux dépenses les vingt-cinq jours précédents. Les apprentis en étaient une bonne illustration. Lorsqu'ils avaient commencé à travailler au Tlokweng Road Speedy Motors, Mr. J.L.B. Matekoni les avait mis en garde : il convenait de gérer ses ressources avec méticulosité. Il était tentant, avait-il reconnu, d'imaginer que l'on pouvait dépenser l'argent à l'instant même où il parvenait entre vos mains.

— C'est très dangereux, avait-il expliqué. Beaucoup de gens ont le ventre plein les quinze premiers jours du mois, tandis que leur estomac crie famine les deux dernières semaines.

Charlie, l'aîné des apprentis, avait échangé un regard entendu avec son jeune collègue.

— Ça fait vingt-neuf jours, avait-il déclaré. Et les deux autres, patron ?

Mr. J.L.B. Matekoni avait soupiré, mais ne s'était pas départi de son calme.

— Ce n'est pas le problème, avait-il répondu.

Il serait aisé de perdre son sang-froid avec ces garçons, il le constatait, mais il fallait s'en garder. Il était leur maître d'apprentissage, ce qui signifiait qu'il devait se montrer patient. L'on ne parvenait à rien en s'énervant avec les jeunes. Se mettre en colère contre un jeune, c'était comme crier sur un animal sauvage : cela le faisait fuir.

— Ce qu'il faut faire, avait donc poursuivi Mr. J.L.B. Matekoni, c'est déterminer la somme dont vous avez besoin chaque semaine. Ensuite, vous déposez tout votre argent à la poste, ou dans n'importe quel lieu sûr, et vous le retirez une fois par semaine.

Charlie avait souri.

— On peut toujours prendre un crédit, avait-il lancé. On peut acheter plein de choses à crédit. C'est moins cher.

Mr. J.L.B. Matekoni avait contemplé le jeune homme. Par où doit-on commencer ? s'était-il demandé. Comment fait-on pour combler les lacunes d'un jeune ? Il y avait tant d'ignorance en ce monde – d'innombrables hectares d'ignorance semblables à des zones d'obscurité sur une carte géographique. La combattre revenait aux enseignants et c'était pourquoi ces derniers étaient si respectés au Botswana… Du moins l'étaient-ils jadis. Mr. J.L.B. Matekoni avait remarqué que, depuis quelque temps, les gens, même jeunes, estimaient que les enseignants étaient des individus comme les autres. Mais pouvait-on apprendre quoi que ce fût si l'on ne respectait pas son professeur ? Respecter quelqu'un, c'était accepter de l'écouter et de tirer des enseignements de ses paroles. Les jeunes gens comme Charlie, pensait Mr. J.L.B. Matekoni, croyaient déjà tout savoir. Eh bien, soit ! Il tenterait, lui, de leur inculquer certaines choses en dépit de leur arrogance. Grace Makutsi et Mma Ramotswe n'ignoraient rien des fins de mois difficiles. Sur le plan financier, Mma Ramotswe avait toujours été nettement plus à l'aise que la moyenne, grâce au talent du défunt Obed Ramotswe pour repérer le beau bétail, mais elle savait la nécessité de comptabiliser chaque sou, lot quotidien de ceux qui l'entouraient. Rose, par exemple, la femme de ménage de la maison de Zebra Drive, n'avait pas le choix. Elle avait beaucoup d'enfants – Mma Ramotswe ignorait combien exactement – et ces enfants savaient ce que signifiait aller au lit le ventre creux, en dépit des efforts de leur mère. L'un d'eux, un petit garçon, peinait en outre à respirer, de sorte qu'il lui fallait des inhalateurs. Ceux-ci coûtaient cher, même avec l'aide de l'hôpital public. Et il y avait aussi Mma Makutsi elle-même, qui avait dû subvenir seule à ses besoins durant ses études à l'Institut de secrétariat du Botswana. Tous les jours, à l'aube, avant les cours, elle allait faire le ménage dans un hôtel. Cela n'avait pas dû être facile de se lever à quatre heures du matin, même l'hiver, lorsque les cieux étaient violemment vides (c'était ainsi qu'elle-même formulait les choses) du fait du froid, et le sol, dur sous les pieds. Toutefois, elle avait fait attention, économisé chaque *thebe* gagné et à présent, enfin, elle jouissait d'un certain niveau de confort avec sa maison (ou plutôt, sa moitié de maison, pour être précis), ses chaussures vertes à doublure bleu ciel et, bien sûr, son nouveau fiancé…

Fin du mois, jour de paie ; Mma Ramotswe gara sa petite fourgonnette blanche près des cuisines de l'institut et consulta sa montre. Il était trois heures et sans doute Mma Tsau avait-elle achevé la supervision du nettoyage après le service du déjeuner. Mma Ramotswe ignorait si la cuisinière en chef disposait d'un bureau, mais si tel était le cas, celui-ci devait occuper le bâtiment des cuisines, pour sa part, aisément repérable : il suffisait de baisser la vitre et de humer l'air pour le trouver. Quelle délicieuse odeur que celle de la nourriture ! C'était, du point de vue de Mma Ramotswe, l'un des grands plaisirs de la vie : l'odeur de cuisine qui se répandait dans le vent ; celle des épis de maïs grillant sur le feu, du bœuf grésillant dans son jus, des gros morceaux de potiron mijotant dans la cocotte. Toutes ces odeurs étaient bonnes, elles comptaient parmi les odeurs du Botswana, du foyer, elles réchauffaient le cœur et faisaient saliver.

Elle examina le bâtiment des cuisines. À son extrémité, par une porte ouverte et une grande fenêtre, l'on devinait la forme d'une armoire métallique et celle d'un ventilateur qui tournait lentement au plafond. Il y avait du monde à l'intérieur : une tête remua, une main apparut un bref instant à la fenêtre, puis se retira. Ce devait être le bureau, pensa Mma Ramotswe, et elle pourrait toujours marcher jusque-là, frapper à la porte et demander Mma Tsau. Mma Ramotswe avait foi en l'approche directe, en dépit des conseils dispensés par Clovis Andersen dans *Les Principes de l'investigation privée*. Ce dernier préconisait la circonspection et la récolte d'informations par des moyens détournés. Selon Mma Ramotswe, au contraire, la meilleure façon d'obtenir une réponse à une question, quelle qu'elle fût, consistait à interroger quelqu'un en face. L'expérience lui avait prouvé que, si l'on soupçonnait l'existence d'un secret, l'approche idéale consistait à déterminer qui connaissait ce secret et à demander à cette personne de vous le confier. Cela fonctionnait presque à tous les coups. Ce qu'il y avait de particulier avec les secrets, c'était qu'ils exigeaient d'être répétés, ils se montraient insistants, vous démangeaient la langue si vous les gardiez trop longtemps. Il en allait ainsi, du moins, pour la plupart des gens. Mma Ramotswe, quant à elle, savait garder un secret si celui-ci devait être tu. Jamais elle ne divulguait les affaires de ses clients, même si elle brûlait d'en parler à quelqu'un, et même Mr. J.L.B. Matekoni ne se voyait pas confier des choses qui nécessitaient une stricte confidentialité. En de très rares occasions seulement, lorsque le poids d'une information se révélait trop lourd pour être porté par un seul individu, elle partageait avec Mr. J.L.B. Matekoni un fait caché qu'elle avait découvert ou qu'on lui avait révélé. C'était arrivé le jour où un client avait expliqué à Mma Ramotswe qu'il entendait commettre une fraude à l'assurance en faisant une fausse déclaration à la *Botswana Eagle Insurance Company*. Il le lui avait dit avec aplomb, comme si cela ne devait pas la choquer ; après tout, n'était-ce pas ainsi que la majorité des gens traitaient les compagnies d'assurances ? Elle était allée trouver Mr. J.L.B. Matekoni pour discuter de cette affaire avec lui et il lui avait conseillé de mettre un terme à ses relations professionnelles avec le client en question. Elle l'avait écouté et cela lui avait valu une pluie de menaces proférées sans ménagement. Cette scène avait résulté en une visite à la *Botswana Eagle Insurance Company*, qui s'était montrée fort reconnaissante de l'information fournie et avait pris des mesures pour protéger ses intérêts.

Cependant, l'approche directe ne fonctionnerait pas cette fois-ci. Si Mma Ramotswe entrait dans le bureau, elle avait toutes les chances d'y croiser Poppy, ce qui poserait un problème. En effet, elle n'avait pas prévenu celle-ci de sa venue et la cuisinière en chef risquait de se douter que les deux femmes se connaissaient. Non, il fallait s'assurer un véritable tête-à-tête avec Mma Tsau.

Un groupe d'étudiantes sortit à cet instant d'un bâtiment proche des cuisines. C'était la fin des cours et les jeunes filles demeurèrent devant leur classe par deux ou trois, bavardant et riant de leurs plaisanteries partagées. Pour elles aussi, c'était la fin du mois, se dit Mma Ramotswe ; elles devaient avoir reçu leur argent de poche et préparer leurs sorties du week-end. À quoi ressemblait la vie, se demanda Mma Ramotswe, quand on était l'une d'elles ? Elle-même était passée directement de l'enfance au monde du travail et n'avait jamais mené la vie estudiantine. Ces jeunes filles connaissaient-elles leur chance ?

L'une des étudiantes se détacha alors d'un groupe et traversa le terre-plein qui séparait le bâtiment des cuisines de la fourgonnette. Lorsqu'elle parvint à la hauteur du véhicule, elle jeta un coup d'œil en direction de Mma Ramotswe.

— Excusez-moi, Mma ! cria celle-ci en se penchant par la vitre ouverte. Excusez-moi, Mma !

La jeune femme s'arrêta et observa Mma Ramotswe, qui descendait à présent de voiture.

— Oui, Mma, répondit l'étudiante. C'est moi que vous appelez ?

Mma Ramotswe s'approcha d'elle.

— Oui, Mma, fit-elle. Connaissez-vous la dame qui travaille aux cuisines ? Mma Tsau ? Connaissez-vous cette dame ?

L'étudiante sourit.

— C'est la cuisinière en chef, dit-elle. Oui, je la connais.

— J'ai besoin de lui parler, expliqua Mma Ramotswe. J'ai besoin de la voir ici, dans ma fourgonnette. Je ne veux pas lui parler s'il y a d'autres personnes à proximité.

La jeune fille la considéra sans comprendre.

— Et alors ? interrogea-t-elle.

— Alors, je me demandais si vous pourriez aller le lui dire, Mma. Pourriez-vous aller lui dire qu'il y a ici quelqu'un qui souhaite lui parler ?

L'étudiante fronça les sourcils.

— Mais vous ne pouvez pas y aller vous-même, Mma ? Pourquoi avez-vous besoin de moi pour ça ?

Mma Ramotswe scruta le visage de la jeune fille qui se tenait devant elle. Quel lien existait-il entre elles deux ? Étaient-elles étrangères l'une à l'autre, n'avaient-elles aucune raison d'accepter de se rendre mutuellement service ? Ou vivait-on encore en un lieu où l'on pouvait aborder une personne, même sans la connaître, pour lui demander de l'aide, comme cela se faisait par le passé ?

— Je vous le demande, déclara Mma Ramotswe à mi-voix. Je vous le demande...

Elle hésita alors, mais une seconde seulement, avant de poursuivre :

— Je vous le demande, ma sœur...

Pendant un court instant, la jeune fille demeura interdite, puis elle esquissa un signe de tête.

— Je vais le faire, acquiesça-t-elle. Je vais y aller.

Mma Tsau, courtaude et plutôt ronde, apparut à la porte du bureau des cuisines, s'arrêta et regarda au-delà du terre-plein. Ses yeux tombèrent sur la petite fourgonnette blanche et elle hésita. De la voiture, Mma Ramotswe leva une main, que Mma Tsau ne vit pas, mais elle vit la fourgonnette ; et la jeune fille avait dit : « Il y a une femme qui veut vous voir de toute urgence, Mma. Elle est dehors, dans une petite fourgonnette blanche. Si vous me demandez mon avis, cette fourgonnette est beaucoup trop petite pour elle, mais elle tient quand même à vous parler à l'intérieur. »

La cuisinière traversa le terre-plein. Elle avait une démarche curieuse, remarqua Mma Ramotswe ; une légère boiterie, peut-être, ou un pied qui pointait vers l'extérieur. Mma Makutsi marchait un peu de la même façon, Mma Ramotswe l'avait constaté et, quoiqu'elle ne lui en ait jamais touché mot, il faudrait qu'elle prenne un jour son courage à deux mains pour lui suggérer d'y réfléchir. Il conviendrait toutefois d'agir avec tact : Mma Makutsi était très sensible sur la question de son apparence et une telle remarque risquait de la démoraliser, même si elle ne visait qu'à lui rendre service.

Mma Tsau se pencha vers la fourgonnette.

— Vous me cherchez, Mma ?

La voix était forte, étrangement puissante pour une femme d'une si courte stature. C'était la voix d'une personne habituée à crier. Les cuisinières professionnelles avaient la réputation de crier, Mma Ramotswe s'en souvenait à présent. Elles réprimandaient les employés qui travaillaient sous leurs ordres et certaines – les plus célèbres – leur jetaient même des objets. Il n'y avait aucune excuse à cela, bien sûr. Mma Ramotswe avait été choquée de lire un jour dans un magazine qu'un chef réputé, quelque part en Amérique, jetait de la soupe froide sur la tête de ses jeunes cuisiniers s'ils ne se montraient pas à la hauteur de ses attentes. Il les injuriait également, ce qui était presque aussi répréhensible. Utiliser un langage ordurier était, selon elle, signe de mauvais caractère et de manque de considération envers autrui. On n'était ni plus intelligent ni plus puissant lorsqu'on employait de telles expressions. Chaque fois que ces gens-là ouvraient la bouche, c'était comme s'ils proclamaient *Je suis une personne qui manque de vocabulaire*. Mma Tsau était-elle un chef de ce genre ? se demanda-t-elle. Cette petite bonne femme ronde au foulard à pois bleu ciel noué autour du cou comme un *doek* ? On la voyait mal lancer de la soupe froide à la tête de quelqu'un.

— Oui, Mma, répondit Mma Ramotswe en s'efforçant de repousser l'image mentale qui lui était venue de Mma Tsau versant lentement le contenu d'une soupière sur… Charlie.

Quel tableau ! Ce fut aussitôt remplacé par l'image de Mr. J.L.B. Matekoni qui, frustré de voir encore un travail bâclé, faisait la même chose à l'apprenti ; puis par celle de Mma Makutsi versant de la soupe sur… Elle s'interrompit.

— J'aimerais vous parler, s'il vous plaît.

Mma Tsau s'essuya le front.

— J'écoute, dit-elle. Je vous entends très bien d'ici.

— C'est une affaire privée, insista Mma Ramotswe. Nous pourrions discuter dans ma fourgonnette, si cela ne vous ennuie pas.

Mma Tsau fronça les sourcils.

— Qu'est-ce que c'est que cette histoire ? rétorqua-t-elle. Vous essayez de me vendre quelque chose, Mma ?

Mma Ramotswe jeta un coup d'œil autour d'elle, comme lorsque l'on s'apprête à faire une confidence.

— C'est au sujet de votre mari, déclara-t-elle.

Ces mots produisirent l'effet souhaité. À la mention de son mari, Mma Tsau avait tressailli, comme si quelqu'un venait de lui verser… Elle releva la tête et plissa les yeux.

— Mon mari ?

— Oui, Mma, votre mari.

Mma Ramotswe désigna du menton la portière du passager.

— Pourquoi ne montez-vous pas, Mma ? Nous pourrons parler à l'intérieur.

L'espace d'un instant, elle crut que Mma Tsau allait tourner les talons et repartir vers son bureau. Il y eut en effet une hésitation. Les yeux remuèrent, mais la femme continua à considérer Mma Ramotswe. Puis elle contourna la fourgonnette par l'avant, sans perdre Mma Ramotswe du regard.

— Vous pouvez baisser la vitre, Mma, suggéra Mma Ramotswe quand elle fut installée. Cela nous donnera un peu d'air. Il fait très chaud aujourd'hui, n'est-ce pas ?

Mma Tsau croisa les mains sur ses genoux et les fixa obstinément sans répondre. Dans le petit habitacle, on l'entendait respirer avec difficulté. Mma Ramotswe ne dit rien, préférant la laisser reprendre son souffle, mais au bout d'un moment, elle ne constata aucun changement. Mma Tsau semblait aspirer l'air à travers un buisson touffu, produisant une sorte de bruissement semblable au bruit du vent dans les arbres. Mma Ramotswe se tourna vers sa passagère. Elle s'était préparée à éprouver de l'aversion pour cette femme, qui avait volé la nourriture de l'institut et si injustement menacé l'inoffensive Poppy de renvoi. Mais maintenant qu'elle l'avait devant les yeux, avec sa respiration pénible et sa démarche bizarre, il lui était difficile de ne pas ressentir de sympathie pour elle. À vrai dire, il était toujours difficile à Mma Ramotswe de ne pas ressentir de sympathie pour une personne, quelle que fût sa conduite, quels que fussent ses défauts, parce qu'elle comprenait, de façon intuitive, mais profonde, ce que c'était d'être un être humain, et savait que cela n'avait rien de facile. N'importe qui, se disait-elle, peut faire le mal, n'importe qui peut se montrer faible, si aisément, n'importe qui peut faire preuve d'égoïsme, si aisément. Ce qui signifiait qu'elle pouvait comprendre (et comprenait), ce qui ne revenait pas à fermer les yeux (ce qu'elle ne voulait pas faire), ni à suivre le principe (ce qu'elle ne faisait pas) qu'il ne fallait pas juger autrui. Bien sûr, on était autorisé à juger autrui, et Mma Ramotswe faisait appel aux grands principes de la vieille morale botswanaise pour opérer ses jugements. Or rien, dans la vieille morale botswanaise, n'interdisait de pardonner aux faibles. Bien au contraire, une vaste part de cette morale avait trait au pardon : l'on ne devait pas garder rancune à autrui, car la rancune troublait la paix sociale, détériorait les liens entre les gens.

Elle éprouva donc de la pitié pour Mma Tsau et, de façon instinctive, sans préméditer son geste, posa la main sur le bras de la femme et la laissa là. Mma Tsau se crispa et sa respiration parut s'arrêter ; lorsqu'elle tourna la tête vers Mma Ramotswe, ses yeux étaient mouillés de larmes.

— Vous êtes la mère d'une de ces jeunes filles… murmura-t-elle.

Il ne s'agissait pas d'une question, mais bien d'une affirmation. Toute assurance semblait l'avoir désertée. Recroquevillée sur son siège, elle avait l'air plus petite encore.

Mma Ramotswe ne comprit pas tout de suite. Elle voulut l'interroger, mais se ravisa au moment où les mots prenaient sens.

C'était, après tout, une histoire bien banale, et nul ne devait en être surpris. Le mari, le père, le citoyen respectable : cet homme-là entretenait parfois des relations avec d'autres femmes en dépit de tout, indifférent à la souffrance de son épouse. Beaucoup se comportaient ainsi. Certains allaient même plus loin : ils choisissaient des femmes beaucoup plus jeunes qu'eux, des adolescentes encore lycéennes. Cela les emplissait de fierté d'avoir des maîtresses si jeunes, à qui ils avaient tourné la tête parce qu'ils avaient de l'argent, de belles voitures, du pouvoir peut-être…

— J'entends ce que vous me dites, Mma, commença Mma Ramotswe. Votre mari. Ce que je voulais…

— Ça fait des années que ça dure, coupa Mma Tsau. Ça a commencé juste après notre mariage… déjà à l'époque, il avait cette habitude. Je n'arrêtais pas de lui dire qu'il avait l'air bête, à courir comme ça après des gamines, mais il ne m'écoutait pas. Finalement, je l'ai menacé de le quitter. Il m'a ri au nez et m'a dit de ne pas me gêner. Mais je n'ai pas réussi, Mma. Je n'ai pas réussi…

Mma Ramotswe connaissait bien ce genre de situations. Elle avait rencontré des dizaines de femmes comme Mma Tsau, incapables de quitter un homme, pourtant sans valeur, parce qu'elles l'aimaient. Cela n'avait rien à voir avec celles qui n'osaient pas, parce que leur mari les terrorisait ou qu'elles n'avaient nulle part où aller. Certaines ne pouvaient partir pour la simple raison que, malgré ce qu'il leur faisait subir, malgré les tourments et les humiliations, elles persistaient à aimer un homme envers et contre tout. Tel était le cas de Mma Tsau, se disait Mma Ramotswe. Mma Tsau aimait Rra Tsau, et il en serait ainsi jusqu'à la fin.

— Vous l'aimez, Mma ? interrogea-t-elle avec douceur. C'est ça ?

Mma Tsau baissa de nouveau les yeux sur ses mains. Mma Ramotswe remarqua que l'une d'elles portait des traces de farine. Des mains de cuisinière.

— *Eee*, répondit Mma Tsau dans un long souffle, employant pour acquiescer le mot setswana familier. *Eee*, Mma. J'aime cet homme, c'est vrai. Je suis une femme faible, je le sais, mais je l'aime.

Mma Ramotswe soupira. Il n'existait aucun remède contre un tel amour. C'était là une vérité fondamentale dans le domaine des relations humaines, et nul n'était besoin d'être détective privé pour la connaître. Un tel amour, l'amour tenace d'un parent ou d'une épouse dévouée, pouvait faiblir (cela arrivait parfois), mais il fallait du temps pour cela, et les sentiments persistaient même devant la preuve formelle que la personne n'en valait pas la peine.

— Je m'apprêtais à vous dire que je n'étais pas venue pour cela, déclara Mma Ramotswe. Votre mari, je ne le connais pas.

Il fallut un moment à Mma Tsau pour intégrer ces paroles. Quand elle se tourna vers Mma Ramotswe, le découragement restait inscrit sur ses traits.

— Pourquoi êtes-vous venue, alors ?

Il n'y avait pas de réelle curiosité dans sa voix. C'était comme si la visite de Mma Ramotswe concernait une commande d'œufs, ou de pommes de terre, peut-être.

— Je suis là parce que j'ai appris que vous menaciez l'une de vos employées de renvoi, répondit-elle.

Elle ne souhaitait pas insinuer que Poppy s'était plainte, aussi ajouta-t-elle, sans mentir (au sens strict), que personne ne lui avait demandé de venir. Ce n'était pas faux. Cela s'apparentait à ce que Clovis Andersen appelait *une affirmation indirecte*, et c'était différent.

Mma Tsau haussa les épaules.

— Je suis la responsable des cuisines, dit-elle. Je porte le titre de manager de restauration. Voilà ce que je suis. C'est moi qui embauche, c'est moi qui débauche. Certaines personnes ne travaillent pas bien.

Elle s'essuya légèrement les mains et Mma Ramotswe vit pendant quelques instants les minuscules grains de farine, semblables à des particules de poussière, flotter à l'oblique dans un rai de lumière.

La compassion éprouvée quelques minutes plus tôt par Mma Ramotswe fit place à l'irritation. Dans le fond, elle n'aimait pas beaucoup cette femme, décida-t-elle, même si elle l'admirait, peut-être, pour sa loyauté envers son époux volage.

— Certaines personnes se font renvoyer pour d'autres raisons, lança-t-elle. Par exemple, parce qu'elles volent de la nourriture... Une femme peut être renvoyée si l'on découvre qu'elle donne à son mari de la nourriture qui appartient au gouvernement...

Mma Tsau ne réagit pas. Elle tendit la main pour caresser l'ourlet de sa jupe, puis le tira doucement comme pour éprouver la solidité de la couture.

Lorsqu'elle prit une inspiration, on entendit le raclement du flegme.

— Alors, c'est vous qui m'avez envoyé cette lettre, dit-elle. Peut-être que…

— Non, répliqua Mma Ramotswe. Ce n'est pas moi, et ce n'est pas non plus cette jeune femme.

Mma Tsau secoua la tête.

— Dans ce cas, qui est-ce ?

— Je n'en ai pas la moindre idée, assura Mma Ramotswe. Mais cette femme n'y est pour rien. Quelqu'un d'autre vous fait chanter. Car c'est bien ce qui se passe, vous savez. C'est du chantage. Ce devrait être à la police de s'en occuper.

Mma Tsau se mit à rire.

— Vous voulez m'envoyer à la police ? Vous voulez que j'aille dire : « Voilà, j'ai donné à mon mari de la nourriture qui appartenait au gouvernement et, à présent, il y a quelqu'un qui me menace » ? Allons, Mma, je ne suis pas stupide !

La voix de Mma Ramotswe ne laissa filtrer aucune impatience.

— Je sais que vous n'êtes pas stupide, Mma Tsau. Je le sais.

Elle se tut. Il y avait fort à parier que, désormais, Mma Tsau ne tenterait plus rien contre Poppy. Cela signifiait qu'elle-même pouvait, pour sa part, considérer l'affaire comme close. Toutefois, cela laissait le problème du chantage non résolu. Il s'agissait d'un acte ignoble, pensait-elle, et l'idée que l'on puisse y recourir et demeurer impuni avait quelque chose de révoltant. Elle tenterait donc d'élucider la question, si elle en trouvait le temps, et il y avait toujours des périodes de creux où Mma Makutsi et elle-même restaient désœuvrées. Peut-être même pourrait-elle confier l'enquête à Mma Makutsi et voir comment celle-ci s'en sortirait. Aucun maître chanteur n'avait la moindre chance face à Mma Makutsi, assistante détective à l'Agence N° 1 des Dames Détectives et diplômée, avec félicitations du jury, de l'Institut de secrétariat du Botswana – « Mma 97 sur 100 », comme Mma Ramotswe, de façon assez irrévérencieuse, la surnommait en secret. Elle imaginait déjà la confrontation entre le maître chanteur et Mma Makutsi, les grosses lunettes rondes de la seconde envoyant des éclairs d'indignation, et le premier, individu misérable et sournois, pétrifié face au courroux féminin.

— Pourquoi souriez-vous ? interrogea Mma Tsau. Je ne trouve pas ça très drôle.

— C'est vrai, répondit Mma Ramotswe, revenant à la réalité. Ce n'est pas drôle du tout. Mais dites-moi, Mma, cette lettre… l'avez-vous gardée ? Pourriez-vous me la montrer ? Peut-être parviendrai-je à découvrir quelle est cette personne qui essaie de vous faire chanter.

Mma Tsau réfléchit.

— Et vous ne ferez rien en ce qui concerne… en ce qui concerne mon mari ?

— Non, assura Mma Ramotswe. Votre mari ne m'intéresse pas.

Elle disait vrai, bien sûr. Elle imaginait sans peine l'époux de Mma Tsau, un coureur de jupons paresseux, nourri par une femme dévouée et qui prenait tant et tant de poids qu'il lui deviendrait bientôt impossible de voir la partie inférieure de son corps, tant son ventre grossissait. Ce sera bien fait pour lui ! songea Mma Ramotswe. Être une dame de constitution traditionnelle était une chose ; être un homme de constitution traditionnelle en était une autre. Ce n'était certainement pas aussi bien.

Cette pensée la fit de nouveau sourire, mais cette fois, Mma Tsau ne s'en aperçut pas : elle bataillait en effet pour tenter d'ouvrir la portière, en vue d'aller chercher la lettre qu'elle conservait dans son bureau, dans l'une des caches secrètes qu'elle avait là-bas.

CHAPITRE IX

Classeurs métalliques, serrures et chaînes

Mma Ramotswe contempla sa tasse. Le thé rouge qu'elle venait de se servir était encore très chaud, beaucoup trop pour être bu, mais joli à regarder avec sa belle couleur ambrée, et délicieux à humer. Il était dommage, pensa-t-elle, d'avoir pris l'habitude des sachets : on ne voyait plus les feuilles flotter à la surface et adhérer aux bords. Elle avait cédé sur la question des sachets par faiblesse, elle le reconnaissait. C'était tellement plus pratique que les feuilles de thé, qui avaient tendance à boucher les canalisations, et même le bec des théières si l'on n'y prenait garde. Cela ne l'avait jamais gênée de sentir, à l'occasion, une feuille sur sa langue, elle devait même admettre que ça lui plaisait bien, mais cela n'arrivait plus désormais, avec ces petits sachets sans surprise qui contenaient leur dose calculée de feuilles broyées.

C'était la première tasse de la journée, puisque Mma Ramotswe ne comptabilisait pas les deux qu'elle prenait chez elle avant de partir travailler. Elle en buvait une pendant sa promenade matinale dans le jardin, au lever du soleil ; elle s'arrêtait alors sous le grand acacia et levait la tête pour contempler les branches hérissées d'épines, tout en inspirant profondément l'air du matin, dont elle savourait la fraîcheur. Ce jour-là, elle avait aperçu un caméléon perché dans l'arbre. Elle avait examiné l'étrange créature qui fixait sur elle un œil fascinant, tandis que les minuscules pattes préhensiles restaient figées en plein mouvement. C'était un avantage de taille, avait-elle pensé, d'avoir des yeux de caméléon, qui pouvaient regarder à la fois devant et derrière, de façon indépendante. Ce serait un beau cadeau pour un détective.

Assise à présent à son bureau, elle porta la tasse à ses lèvres et but une gorgée de thé rouge. Elle consulta sa montre. Mma Makutsi, d'ordinaire si ponctuelle, était en retard. Sans doute à cause des minibus, se dit Mma Ramotswe. Beaucoup partaient de Tlokweng pour gagner la ville, mais ils étaient trop peu nombreux dans l'autre sens. Mma Makutsi pouvait venir à pied, bien sûr – sa nouvelle maison n'était pas très éloignée –, mais les gens répugnaient généralement à marcher sous la chaleur, et on les comprenait.

Elle avait un rapport à rédiger, aussi s'absorba-t-elle dans cette tâche. Ce n'était pas facile, parce qu'il fallait décrire en détail les faiblesses relevées dans le service de recrutement d'une société de gardiennage. On pouvait penser que les candidatures d'individus affublés d'un casier judiciaire étaient systématiquement rejetées ; Mma Ramotswe avait découvert qu'il n'y avait rien de plus simple que de mentir sur son passé dans un questionnaire, d'autant que le responsable du personnel ne se souciait pas de vérifier les renseignements. Cet homme, qui s'était lui-même fait engager en mentant sur ses qualifications et son expérience, agréait pratiquement toutes les candidatures, et surtout celles qui émanaient de membres de sa famille. Le rapport de Mma Ramotswe ne plairait guère à la direction et elle s'attendait à des démonstrations de colère. C'était inévitable : les gens n'aimaient pas s'entendre dire des vérités pénibles, même s'ils les avaient eux-mêmes sollicitées. Ces vérités les obligeraient à revoir toutes les procédures et à en instaurer de nouvelles, une nécessité rarement bienvenue pour qui avait des dizaines d'autres tâches à accomplir.

Tout en recensant les défauts d'organisation de l'entreprise, Mma Ramotswe réfléchit à la difficulté de disposer d'un système de sécurité à toute épreuve, dans quelque domaine que ce fût. À l'Agence N° 1 des Dames Détectives, par exemple, tous les dossiers étaient conservés dans deux vieux classeurs métalliques ; or, ni l'un ni l'autre, elle s'en rendait compte à présent, n'avaient de serrure ou, du moins, de serrure en état de fonctionnement. Bien évidemment, la porte du bureau, elle, en avait une, mais dans la journée, les deux femmes prenaient rarement la peine de fermer à clé lorsqu'elles s'absentaient ensemble. Certes, il y avait toujours quelqu'un au garage – soit Mr. J.L.B. Matekoni, soit les apprentis, dont la présence ne manquerait pas de dissuader d'éventuels intrus.

Non, se reprit-elle, rien n'était moins sûr. Souvent, Mr. J.L.B. Matekoni était si absorbé dans son travail lorsqu'il s'occupait d'un moteur qu'il y avait fort à parier qu'il ne verrait même pas le président du Botswana si celui-ci arrivait en personne au garage dans sa grosse voiture officielle. Quant aux apprentis, ils n'avaient aucun sens de l'observation, au point qu'il leur arrivait de ne pas remarquer les événements les plus criants. Mma Ramotswe avait d'ailleurs renoncé depuis longtemps à leur demander la description des clients qui s'étaient présentés en son absence et adressés à l'un ou l'autre d'entre eux. « Il y a un type qui est venu, lui rapportaient-ils. Il voulait vous voir. Mais il est reparti. » Et lorsqu'elle sollicitait des détails susceptibles de lui permettre d'identifier le visiteur, ils répondaient : « Il n'était pas très grand, je crois. Ou peut-être que si, je ne sais pas… »

Son stylo s'immobilisa au milieu d'une phrase. Qui était-elle pour critiquer autrui, quand n'importe qui pouvait profiter d'un moment d'inattention pour pénétrer dans les locaux de l'Agence N° 1 des Dames Détectives et venir fureter dans les dossiers ? Cela vous intéresse-t-il de savoir quelles femmes soupçonnent leur mari d'adultère ? Ne vous gênez pas, servez-vous : il y a des dizaines de rapports sur le sujet dans les vieux classeurs métalliques de Tlokweng Road, prenez celui que vous voulez ! Et pourquoi cet homme a-t-il été licencié de l'hôtel où il travaillait le mois dernier sans raison apparente ? Voyez, le dossier qui le concerne est disponible à l'Agence N° 1 des Dames Détectives, signé par Grace Makutsi, Sec. Dip. (Institut de secrétariat du Botswana, 97 sur 100) : il suffit de prendre la peine de fouiller dans le premier tiroir du deuxième bureau de l'agence non fermée à clé, sise au garage Tlokweng Road Speedy Motors.

Mma Ramotswe se leva et se dirigea vers le classeur le plus proche. Elle se pencha en avant pour en examiner la serrure, en haut de la porte métallique. C'était une petite plaque ovale, de couleur argentée, dotée d'une fente pour la clé. Dans la partie supérieure était gravé le logo du fabricant, un petit lion rampant. Le lion rendit son regard à Mma Ramotswe, qui secoua la tête. La serrure était rouillée, ses bords dentelés. Même si l'on parvenait à localiser la clé, il serait impossible de l'insérer. Elle observa le lion, symbole de la fierté qu'un individu avait dû éprouver, quelque part, en fabriquant cette armoire de rangement. Et sans doute cette fierté n'était-elle pas totalement déplacée. L'armoire datait de plusieurs décennies, quarante ou cinquante ans peut-être, et elle remplissait encore sa fonction. Combien de meubles modernes, avec leurs fioritures de plastique et leurs couleurs vives, renfermeraient encore des dossiers dans cinquante ans ? C'était la même chose avec les gens, pensa-t-elle. Les individus modernes et brillants avaient tout pour plaire, mais tiendraient-ils la route ? Les personnes de mentalité traditionnelle (et de constitution tout aussi traditionnelle) ne présentaient peut-être pas aussi bien, mais on les trouverait toujours là, fidèles au poste, à faire ce qu'elles avaient toujours fait. Un garagiste traditionnel, par exemple – quelqu'un comme Mr. J.L.B. Matekoni –, serait toujours capable de maintenir votre voiture en parfait état de marche, alors que des mécaniciens modernes – comme Charlie, par exemple – se contenteraient de hausser les épaules en marmonnant qu'il fallait tout remplacer.

Elle donna au classeur métallique une petite tape affectueuse. Puis, répondant à une impulsion soudaine, elle se pencha et déposa un baiser sur sa surface éraflée. Le contact du métal sur ses lèvres était froid, son odeur, âcre comme celle d'une vieille boîte de conserve – une odeur de rouille un peu piquante.

— *Dumela*, Mma, lança Mma Makutsi depuis la porte.

Mma Ramotswe se redressa.

— Ne vous gênez pas pour moi, reprit Mma Makutsi. Poursuivez ce que vous étiez en train de faire…

Elle jeta un coup d'œil au classeur, puis à Mma Ramotswe.

Cette dernière regagna son bureau.

— Je réfléchissais à cette armoire, expliqua-t-elle, et tout à coup, je me suis sentie reconnaissante envers elle. Je comprends que cela ait pu vous paraître bizarre, Mma.

— Pas du tout, assura Mma Makutsi. Moi aussi, je leur suis reconnaissante, à ces armoires. C'est grâce à elles que nos dossiers sont en sécurité.

Mma Ramotswe fronça les sourcils.

— Je ne suis pourtant pas sûre qu'ils soient vraiment en sécurité, objecta-t-elle. Justement, je me demandais si nous ne devrions pas songer à les mettre sous clé. La confidentialité, c'est quelque chose de très important. Vous le savez bien, Mma.

Mma Makutsi examina les deux meubles avec attention.

— C'est vrai, répondit-elle. Mais cela m'étonnerait que nous arrivions à trouver des clés pour ces vieilles serrures.

Elle réfléchit encore un instant, puis reprit :

— Nous pourrions peut-être mettre des chaînes autour des armoires, avec des cadenas ?

Cette idée ne plut guère à Mma Ramotswe. Il semblerait absurde d'entourer de chaînes des classeurs métalliques : cela ferait mauvais effet vis-à-vis des clients. Déjà, l'agence se trouvait dans un garage, ce qui n'était pas brillant ; présenter quelque chose d'aussi insolite que des meubles entourés de chaînes paraîtrait pire encore. Il serait plus judicieux de faire l'acquisition de deux nouvelles armoires de rangement, même moins robustes et moins résistantes. Le compte de l'agence devait contenir assez d'argent pour cela et il n'y avait guère eu de frais d'équipement ces derniers temps. À dire vrai, elle n'avait même rien dépensé du tout, hormis trois pula pour une petite cuillère neuve, devenue nécessaire lorsque l'un des apprentis avait pris celle de l'agence pour réparer une boîte de vitesses et l'avait cassée. En réfléchissant à cet éventuel achat de mobilier, une pensée soudaine traversa l'esprit de Mma Ramotswe : Mma Makutsi allait se marier, non ? Et son fiancé ne travaillait-il pas dans le commerce de meubles ?

— Phuti Radiphuti ! s'exclama Mma Ramotswe.

Mma Makutsi releva vivement la tête.

— Phuti ?

— Votre fiancé, Mma, poursuivit Mma Ramotswe. Vend-il aussi des meubles de bureau ou seulement du mobilier pour la maison ?

Mma Makutsi baissa les yeux. *Fiancé ?* lui sembla-t-il entendre, venant de ses chaussures. *Nous étions en effet fiancées à une paire de mocassins d'homme, mais nous ne les avons pas vus depuis un petit bout de temps ! On en est où, patronne ?*

Mma Ramotswe sourit.

— Je ne lui demanderai pas de nous en faire cadeau, précisa-t-elle. Mais il pourrait nous avoir un prix de gros, non ? Ou nous dire où en trouver une pas trop chère ? Ou alors...

Relevant les yeux, elle aperçut la mine déconfite de son interlocutrice et s'interrompit. Mma Makutsi, visiblement réticente à s'exprimer, contempla quelques instants le plafond, puis se tourna vers la porte.

— Il n'est pas venu hier soir, articula-t-elle alors. J'avais préparé le repas, mais il n'est pas venu.

Mma Ramotswe tressaillit. Elle avait redouté un incident de ce genre. Depuis les fiançailles, elle craignait que les choses ne tournent mal pour Mma Makutsi. Cela n'avait rien à voir avec Phuti Radiphuti, qui lui paraissait un parfait candidat au mariage. Non. Ce qui lui faisait peur, c'était la malchance qui semblait coller à la peau de Mma Makutsi. Il existait des gens que la vie maltraitait, en dépit d'un travail acharné et quels que fussent les efforts qu'ils déployaient pour améliorer leur condition. Mma Makutsi avait fait de son mieux, mais peut-être n'obtiendrait-elle pas davantage que ce qu'elle possédait déjà, peut-être resterait-elle assistante détective, une femme de Bobonong avec de grosses lunettes rondes et une maison qui, bien que confortable, n'avait pas l'eau chaude. Phuti Radiphuti aurait pu changer tout cela, mais il ne le ferait pas. Ce serait une nouvelle occasion perdue, une opportunité supplémentaire d'imaginer ce qui aurait pu arriver si tout avait été différent.

— Sans doute a-t-il travaillé tard, hasarda Mma Ramotswe. Vous devriez lui téléphoner pour savoir ce qui s'est passé. Oui, utilisez le téléphone de l'agence. Il n'y a pas de problème. Appelez Phuti Radiphuti.

Mma Makutsi secoua la tête.

— Non. Je ne peux pas faire ça. Je ne veux pas lui courir après.

— Ce n'est pas lui courir après que de l'appeler pour lui demander pourquoi il n'est pas venu ! Les hommes ne peuvent pas laisser les femmes cuisiner pour eux sans venir manger ce qu'elles leur préparent. N'importe qui est capable de comprendre cela.

La remarque ne parut pas faire mouche et, face à la morosité de Mma Makutsi, Mma Ramotswe elle-même ne put que garder le silence.

— C'est pour cela que je suis arrivée en retard ce matin, déclara soudain Mma Makutsi. Je n'ai pas dormi de la nuit.

— Il y a beaucoup de moustiques, répondit Mma Ramotswe. Cela n'aide pas.

— Cela n'a rien à voir avec les moustiques, marmonna Mma Makutsi. Ils dormaient la nuit dernière. C'est parce que je réfléchissais. Je crois que c'est fini, Mma.

— Ne dites pas de bêtises ! protesta Mma Ramotswe. Les hommes ont parfois des comportements étranges, voilà tout. Il leur arrive d'oublier de rendre visite aux dames. Parfois, ils oublient même de se marier. Regardez Mr. J.L.B. Matekoni. Regardez combien de temps il lui a fallu pour m'épouser.

— Je ne peux pas patienter aussi longtemps, dit Mma Makutsi. Je pensais rester fiancée six mois tout au plus.

Elle prit une feuille sur son bureau et la contempla.

— Maintenant, je vais devoir faire du classement toute ma vie.

Mma Ramotswe comprit qu'elle ne pouvait laisser son assistante continuer à s'apitoyer ainsi sur son sort : une telle humeur n'arrangerait rien. Aussi expliqua-t-elle à Mma Makutsi qu'il fallait aller trouver Phuti Radiphuti et le rassurer. Si elle s'y refusait, eh bien, elle-même s'en chargerait ! Cette proposition n'eut pas le moindre effet sur son interlocutrice, aussi la répéta-t-elle, de sorte qu'elle lui promit d'y réfléchir. Alors, la journée de travail put débuter. C'était le jour d'expédition des factures, une activité fort réjouissante. S'il avait pu exister aussi un jour où toutes les factures leur revenaient, accompagnées d'un chèque de règlement, il se révélerait plus réjouissant encore. Cependant, le monde du travail ne fonctionnait pas ainsi et il y avait toujours plus de lettres expédiées que de courrier reçu, semblait-il. Et sur ce plan, songea Mma Ramotswe, le monde du travail reflétait la vie elle-même : un adage digne de Tante Emang, quoique Mma Ramotswe ne fût pas certaine qu'il se vérifiât.

Une fois les factures dactylographiées et glissées dans leurs belles enveloppes blanches, Mma Ramotswe se souvint qu'elle souhaitait montrer quelque chose à Mma Makutsi. Elle prit la vieille sacoche de cuir dans laquelle elle transportait documents et listes, ainsi que tout l'attirail nécessaire à sa vie quotidienne, et en sortit la lettre que Mma Tsau lui avait confiée la veille. Elle traversa la pièce pour la tendre à Mma Makutsi.

— Que pensez-vous de cela ? interrogea-t-elle.

Mma Makutsi déplia la lettre et la posa devant elle sur le bureau. La feuille, remarqua-t-elle, était froissée, ce qui signifiait qu'on avait dû la mettre en boule avec l'intention de la jeter. Ce n'était pas une lettre que l'on conservait avec amour, mais un message qui avait apporté colère et angoisse.

— « Dites donc, Mma Tsau, lut Mma Makutsi à haute voix, vous avez une place en or ! C'est un bon poste, non ? Avec quantité de gens sous vos ordres, avec un chèque à la fin du mois… Tout va bien pour vous, j'ai l'impression ! Et pour votre mari aussi, d'ailleurs ! Il doit être content que vous ayez ce travail, qui lui permet de manger gratuitement ! Ça doit être agréable de manger sans rien payer, dans ce monde. Peu de gens ont cette chance, mais lui, il en fait partie.

« Seulement, vous comprenez, je sais que vous volez la nourriture qu'il mange. Je l'ai vu prendre du poids, engraisser de plus en plus, et je me suis dit : ça, c'est un homme qui ne paie pas ses repas ! Je l'ai deviné. Bien sûr, cela ne vous ferait pas plaisir que d'autres gens l'apprennent, alors vous allez m'écouter, bien m'écouter, s'il vous plaît : je reprendrai contact avec vous pour vous expliquer quoi faire si vous ne voulez pas que j'aille tout raconter. Ne vous inquiétez pas : vous aurez de mes nouvelles. »

Une fois sa lecture terminée, Mma Makutsi releva les yeux. Le désespoir qu'elle affichait un instant plus tôt (dû à la non-apparition de Phuti Radiphuti au dîner et à la perspective de l'avenir sinistre qui l'attendait) avait fait place à la colère.

— C'est du chantage ! s'exclama-t-elle. C'est… C'est…

Son intense indignation lui ôtait tous ses moyens : il n'existait pas de termes assez forts pour décrire ce qu'elle ressentait.

— C'est de la méchanceté pure, renchérit Mma Ramotswe. Même si Mma Tsau est une voleuse, celui qui a écrit cette lettre est mille fois pire.

Mma Makutsi l'approuva avec force.

— Oui. De la méchanceté ! Mais comment allons-nous faire pour démasquer l'auteur de cette lettre ? Elle est anonyme.

— Ce genre de lettres l'est toujours.

— Avez-vous des idées ?

Mma Ramotswe dut confesser que non.

— Mais cela ne veut pas dire que nous n'y parviendrons pas, ajouta-t-elle. J'ai le sentiment que nous sommes très proches de cette personne. Je ne sais pas pourquoi, mais je suis sûre de connaître cette dame.

— Cette dame ? s'étonna Mma Makutsi. Comment savons-nous que c'est une dame ?

— C'est une impression, répondit Mma Ramotswe. C'est une voix de femme.

— Êtes-vous sûre que vous ne dites pas cela parce que c'est moi qui ai lu la lettre ?

Mma Ramotswe réfléchit. Non, il n'y avait pas que cela. La voix (la voix de la lettre) émanait d'une femme. En outre, comme elle l'avait affirmé à Mma Makutsi, elle avait le sentiment, vague et totalement infondé, bien sûr, que cette personne ne lui était pas inconnue.

CHAPITRE X

Quelque chose vous fait peur

Cet après-midi-là, Mma Ramotswe dressa l'une de ses listes. Elle aimait y avoir recours quand la vie devenait compliquée, ce qui était le cas à présent, car formuler les problèmes par écrit aidait à mettre les choses en perspective. Plus encore, il arrivait souvent qu'une solution surgisse, comme si l'acte d'écrire donnait un coup de pouce à la partie inconsciente du cerveau. Mma Ramotswe avait entendu dire que le sommeil pouvait avoir le même effet. « Endors-toi sur ton problème, lui avait un jour conseillé Mr. J.L.B. Matekoni, et demain matin, tu auras ta solution. Ça marche à tous les coups. » Il lui avait raconté comment lui-même s'était endormi un soir en se demandant pourquoi un moteur Diesel assez complexe refusait de démarrer ; cette nuit-là, il avait rêvé de défauts de contact dans un solénoïde.

— Et le matin, avait-il conclu, quand je suis arrivé au garage, c'était ça ! Un très mauvais contact. J'ai remplacé la pièce et le moteur a démarré aussitôt.

Voilà donc de quoi il rêvait, avait pensé Mma Ramotswe. De moteurs Diesel. De solénoïdes. De pots d'échappement. Ses songes à elle se révélaient bien différents. Elle rêvait souvent de son père, le défunt Obed Ramotswe, si bon et si aimant, un homme que tout le monde respectait pour son jugement sûr en matière de bétail, mais aussi pour ses actions, qui reflétaient toutes cette dignité caractéristique des Motswana de la vieille école. Les hommes comme lui connaissaient leur valeur, mais ne s'en vantaient pas. Les hommes comme lui pouvaient regarder n'importe qui dans les yeux sans ciller. Même pauvres, même dénués de tout, ils gardaient la tête haute en présence de ceux qui détenaient pouvoir et argent. Il semblait à Mma Ramotswe que les gens d'aujourd'hui ignoraient à quel point on était riches à cette époque... une époque où l'on paraissait avoir si peu, mais où l'on possédait tant...

Elle pensait à son père – son Papa, comme elle l'appelait encore – chaque jour. Et la nuit, quand elle faisait ces rêves, il était avec elle comme s'il n'était jamais mort, même si elle savait, dans le rêve, qu'il n'était plus de ce monde. Elle le rejoindrait un jour, elle n'en doutait pas, quoi que puissent prétendre certaines personnes sur ce qui se passait une fois le dernier souffle rendu. Ces gens qui ne croyaient pas que, le moment venu, on partait rejoindre les autres, pouvaient bien se moquer ! Peu importait... N'empêche qu'il était nécessaire d'espérer, parce qu'une vie sans espoir d'aucune sorte n'était pas une vie : cela ressemblait à un ciel sans étoiles, à un paysage de désolation. Si Mma Ramotswe avait pensé qu'elle ne reverrait plus jamais Obed Ramotswe, elle en aurait tremblé de solitude. Là, au contraire, l'idée qu'il la contemplait donnait à sa vie sa texture et sa continuité. D'ailleurs, il y avait une autre personne qu'elle reverrait un jour, elle l'espérait : son bébé mort, ce petit être dont les doigts avaient serré les siens avec tant de force, dont la respiration, si paisible, ressemblait au son d'une brise très légère dans les acacias, un son minuscule. Elle savait que son bébé se trouvait désormais en compagnie des enfants disparus, là où ils s'en allaient tous, quelque part, très loin au-delà du Kalahari, en un lieu où le doux bétail laissait les petits monter sur son dos. Et lorsqu'une mère arrivait, les enfants accouraient tous ensemble vers elle, ils l'appelaient et la serraient dans leurs bras. Voilà ce qu'elle espérait, et il valait la peine, estimait-elle, de caresser un espoir comme celui-là.

Toutefois, ce n'était pas le moment de rêver, mais de dresser une liste. Elle prit place à son bureau et recensa sur une feuille de papier, par ordre de priorité, les diverses affaires qui lui faisaient souci. En haut, elle écrivit simplement *Chantage* et, au-dessous, laissa un espace vierge. Elle pourrait y consigner ses idées, et trois mots furent d'ailleurs aussitôt inscrits : *qui peut savoir ?* Puis elle nota *Mr. Polopetsi*. Mr. Polopetsi en lui-même ne représentait pas un problème, mais Mma Ramotswe s'était laissé émouvoir par cette allusion à l'oncle qui ne voulait plus entendre parler de son neveu. Il y avait là, selon elle, une injustice, et Mma Ramotswe avait grand-peine à ignorer les injustices. Sous le nom de Mr. Polopetsi, elle écrivit : *oncle sans cœur – lui parler ?* Ensuite, il y eut *Mokolodi*, suivi du commentaire : *quelque chose de bizarre.* Enfin, en dernier lieu, alors qu'elle avait déjà reposé son crayon, elle ajouta : *Phuti Radiphuti : aller lui parler pour Mma Makutsi ?* Le crayon s'immobilisa après le point d'interrogation, puis elle poursuivit : *me mêler de mes affaires ?* Et, enfin : *Acheter des chaussures.*

Cette dernière tâche était simple. Ou du moins, elle le semblait. En réalité, elle pouvait se révéler fort laborieuse. Il y avait déjà un certain temps que Mma Ramotswe songeait à remplacer les chaussures qu'elle portait tous les jours au bureau et qui étaient vraiment usées aux talons. Les personnes de constitution traditionnelle se montraient parfois difficiles dans le choix de leurs chaussures et Mma Ramotswe avait souvent du mal à en trouver qui soient suffisamment bien conçues. Elle n'avait jamais ressenti le besoin de suivre la mode dans ce domaine – contrairement à Mma Makutsi, avec ses souliers verts à doublure bleu ciel – mais elle se demandait à présent si elle ne devrait pas s'inspirer, cette fois-ci, de l'exemple de son assistante et en choisir une paire légèrement plus élégante. C'était une décision difficile, qui nécessitait une réflexion approfondie, mais Mma Makutsi pourrait l'aider ; cela lui ferait oublier un moment les difficultés qu'elle rencontrait avec Phuti Radiphuti.

Les yeux posés sur la liste, Mma Ramotswe poussa un soupir et laissa la feuille lui échapper des mains. Tous ces problèmes étaient complexes, assurément, et aucun, à première vue, ne lui rapporterait un sou. Le plus épineux restait, à n'en pas douter, celui du chantage. Certes, elle avait établi que Poppy ne perdrait sans doute pas son travail – mais elle se voyait mal exiger une rémunération pour cela – et il n'y avait pas de raison financière de s'en préoccuper davantage. Il existait en revanche une motivation morale, qui prévaudrait inévitablement, mais la plupart du temps, lorsqu'on s'attaquait au mal pour rétablir le bien, on n'en tirait pas de bénéfices pécuniaires. Si elle avait soupiré, ce n'était pas par désespoir ; elle savait qu'elle se verrait confier d'autres enquêtes, lucratives quant à elles, qui donneraient lieu à des factures expédiées vers des entreprises qui avaient les moyens de les régler. Ne venait-on pas justement d'en envoyer une brassée, dont chacune rapporterait un chèque confortable ? Et n'entendait-on pas, montant du garage, juste à côté, un fracas assourdissant, constitué de coups saccadés et de métaux entrechoqués, qui signifiait qu'il y aurait de l'argent dans le tiroir-caisse et de la nourriture sur plusieurs tables ? Dans ces conditions, elle pouvait se permettre, si l'envie lui en prenait, de consacrer du temps à ces enquêtes bénévoles, et l'idée ne lui déplaisait pas.

Elle saisit de nouveau la liste et la relut. Le problème du chantage était trop ardu. Elle y reviendrait plus tard, elle le savait. Pour l'heure, elle préférait s'attaquer à quelque chose de plus abordable. Le nom de *Mokolodi* lui sauta alors aux yeux. Elle regarda sa montre. Il était trois heures. Elle n'avait rien à faire et il serait agréable de descendre jusqu'à la réserve et de bavarder avec le cousin, peut-être, pour tenter de tirer au clair ce qui se tramait là-bas. Elle pourrait emmener Mma Makutsi afin d'avoir de la compagnie. Mais non, ce ne serait pas très amusant, vu l'humeur actuelle de l'assistante. Elle irait donc seule, ou alors, autre possibilité, prendrait Mr. Polopetsi avec elle. Elle avait la ferme intention de former ce dernier, afin qu'il pût accomplir, à l'occasion, certaines missions pour l'agence, en plus de son travail au garage. En outre, sa compagnie se révélait toujours intéressante : Mma Ramotswe ne s'ennuierait pas durant le court trajet sur la route du sud.

— Je ne suis jamais allé dans cette réserve, déclara Mr. Polopetsi. J'en ai entendu parler, mais je n'y suis jamais allé.

Ils ne se trouvaient plus qu'à quelques minutes de l'entrée principale de Mokolodi, avec Mma Ramotswe au volant et Mr. Polopetsi sur le siège passager, le bras posé sur le bord de la vitre ouverte et ne perdant pas une goutte du paysage qui défilait.

— Je n'aime pas beaucoup les animaux sauvages, poursuivit-il. Je suis content pour eux qu'ils puissent profiter de cet endroit, dans le bush, mais cela ne me plaît pas de les imaginer si près de moi.

Mma Ramotswe se mit à rire.

— Vous n'êtes pas le seul dans ce cas, affirma-t-elle. Moi-même, il y a certains animaux sauvages que je n'aimerais pas croiser sur mon chemin.

— Les lions, acquiesça Mr. Polopetsi. L'idée qu'il y a des choses qui rêveraient de m'avoir comme petit déjeuner ne me plaît pas du tout.

Il s'interrompit et haussa les épaules.

— Les lions... répéta-t-il. Bien sûr, entre nous deux, Mma Ramotswe, ce serait d'abord vous qu'ils choisiraient...

La remarque, lancée à la légère, lui avait échappé et il s'apercevait à présent qu'elle n'était pas de très bon goût. Il jeta un bref coup d'œil à Mma Ramotswe, se demandant si elle avait entendu. Elle avait parfaitement entendu.

— Ah bon ? fit-elle. Et pourquoi un lion préférerait-il me manger, moi, plutôt que vous, Rra ? Pourquoi ?

Mr. Polopetsi contempla le ciel.

— Je ne sais pas, ce n'est pas sûr, répondit-il. Je me disais juste qu'ils vous mangeraient en premier parce que...

Il songea à expliquer qu'il courait plus vite ; mais si tel était le cas, n'était-ce pas en raison de la corpulence de Mma Ramotswe, qui l'empêchait de courir vite ? Elle allait penser qu'il se permettait des commentaires sur son poids, ce qui était, à vrai dire, la raison de la première remarque. Bien sûr, n'importe quel lion opterait pour Mma Ramotswe, de la même façon que, dans une boucherie, tout client porterait son choix sur un bon rumsteak goûteux plutôt que sur une fine tranche de viande maigre. Cependant, il ne pouvait pas expliquer cela non plus, aussi garda-t-il le silence.

— Parce que je suis de constitution traditionnelle ? insista Mma Ramotswe.

Mr. Polopetsi leva les mains, sur la défensive.

— Je n'ai pas dit ça, Mma, répliqua-t-il. Je n'ai pas dit ça.

Mma Ramotswe lui décocha un sourire rassurant.

— Je sais que vous ne l'avez pas dit, Rra. Ne vous inquiétez pas, ce n'est pas grave. J'ai réfléchi, voyez-vous, et j'ai pensé qu'il serait bon que je me mette au régime.

Ils atteignaient à présent la grille de Mokolodi, avec ses deux *rondavels*[1] de pierre qui gardaient l'entrée du camp. Cela procura à Mr. Polopetsi le répit nécessaire : il y aurait bientôt d'autres personnes avec eux et ils cesseraient de parler de lions et de régimes. Toutefois, il ne reléguerait pas au fond de son esprit l'extraordinaire nouvelle que Mma Ramotswe venait de lui annoncer d'un ton anodin, au détour d'une phrase : il la transmettrait à Mma Makutsi à l'instant même où il la verrait. Il s'agissait d'une information de la plus haute importance : si Mma Ramotswe, qui avait toujours défendu haut et fort les droits des silhouettes enveloppées, dont elle était, pouvait envisager la possibilité de se mettre au régime, qu'allait-il advenir des individus de constitution traditionnelle ? Ils auraient beaucoup moins de poids, c'était sûr...

Mma Ramotswe expliqua à Mr. Polopetsi qu'il se passait quelque chose d'étrange à Mokolodi. Elle ne put se montrer plus précise, car elle ne savait rien d'autre, et se demanda si, en tant qu'homme, il serait apte à comprendre. Souvent, les hommes n'étaient pas sensibles aux atmosphères, et ils pouvaient estimer que tout allait pour le mieux quand, à l'évidence, tel n'était pas le cas. Certes, il ne fallait pas généraliser : certains hommes se révélaient au contraire très intuitifs dans leur approche, mais ils étaient nombreux, hélas, à ne pas posséder cette capacité. Les hommes s'intéressaient aux faits bruts, mais parfois, aucun fait brut n'était disponible et il fallait se contenter de sensations.

1. Cases rondes africaines. (*N.d.T.*)

Mr. Polopetsi parut perplexe.

— Alors, que voulez-vous que je fasse ? interrogea-t-il. Pourquoi sommes-nous ici ?

Mma Ramotswe était une femme patiente.

— Le travail de détective privé consiste surtout à « absorber » les choses, expliqua-t-elle. On parle avec les gens. On se promène les yeux grands ouverts. On dégage ainsi une impression générale de ce qui se passe. Ensuite, on tire ses conclusions.

— D'accord, mais je ne sais même pas sur quoi je suis censé tirer des conclusions ! protesta Mr. Polopetsi.

— Voyez ce que vous ressentez, conseilla Mma Ramotswe. Moi, je vais bavarder avec un cousin à moi. Vous, vous vous promènerez dans la réserve comme un visiteur normal. Prenez une tasse de thé. Regardez les animaux. Voyez si vous *ressentez* quelque chose.

Mr. Polopetsi semblait toujours aussi peu convaincu, mais la tâche qui lui était assignée éveillait sa curiosité. Elle ressemblait à une mission d'espionnage, pensait-il, et ne manquait pas de sel. Enfant, il avait un jour joué aux espions : il s'était accroupi sous la fenêtre des voisins et avait écouté la conversation qui lui parvenait, tout en prenant des notes (il était question d'un mariage qui devait avoir lieu la semaine suivante). Absorbé dans son travail d'écriture, il n'avait pas vu une femme sortir de la maison, armée d'un balai, et se précipiter vers lui pour le rouer de coups. Il s'était enfui à toutes jambes et réfugié au cœur d'un bosquet de papayers. Comme il était étrange, se dit-il, de devoir refaire aujourd'hui ce qu'il avait tenté alors ! La différence, c'était qu'il s'imaginait mal ramper sous des fenêtres. Si Mma Ramotswe attendait cela de lui, elle allait devoir y réfléchir à deux fois ; elle-même pouvait aller crapahuter autour des maisons si ça lui chantait, quant à lui, il s'y refuserait, même pour lui faire plaisir.

Le cousin de Mma Ramotswe, neveu, par un second mariage, de l'aîné de ses oncles, était responsable de l'atelier. Après avoir laissé Mr. Polopetsi sur le parking, où il demeura, un peu gauche, ne sachant que faire, elle prit le chemin qui menait aux ateliers. Elle passa devant les logements du personnel, petites constructions ombragées aux murs couleur de terre chaude, avec de belles fenêtres traditionnelles – les yeux des bâtiments, pensa Mma Ramotswe. Des yeux qui donnaient aux maisons cet aspect humain que toute maison se devrait de posséder. Puis, à l'extrémité du chemin, près des étables, elle découvrit les ateliers, série de bâtiments dissemblables qui entouraient une cour centrale. Avec sa saleté et son désordre – un vieux tracteur, des pièces de moteur, les barres métalliques d'une cage qui attendaient d'être soudées – le lieu dégageait la même atmosphère que le Tlokweng Road Speedy Motors. C'était le genre d'endroit où une femme de mécanicien n'était pas dépaysée. Et Mma Ramotswe, effectivement, se sentait à l'aise. Elle n'eût pas été surprise de voir apparaître Mr. J.L.B. Matekoni dans l'embrasure d'une porte, s'essuyant les mains sur un chiffon. Au lieu du garagiste, cependant, ce fut son cousin qui surgit. Il posa sur elle un regard surpris, avant de se fendre d'un large sourire.

Debout dans la cour, ils échangèrent des nouvelles de la famille. Son père se portait-il bien ? Pas trop, mais il restait jovial et passait son temps à parler des jours anciens. Récemment, il avait évoqué Obed Ramotswe : les conseils que lui donnait jadis celui-ci sur le bétail lui manquaient. Mma Ramotswe baissa les yeux ; personne ne connaissait mieux les bêtes que son défunt père et il était touchant de voir que l'on en parlait encore si longtemps après sa disparition. Les sages n'étaient jamais oubliés. Jamais.

Et elle, que faisait-elle ? Était-il vrai qu'elle possédait une agence de détectives ? Et son mari ? C'était quelqu'un de bien, tout le monde le savait. L'un des gars du coin était tombé en panne à Gaborone et Mr. J.L.B. Matekoni l'avait aperçu, désespéré à côté de sa voiture : il s'était arrêté et l'avait remorqué jusqu'au garage, où il avait réparé la voiture... pour rien ! On en avait beaucoup parlé.

La conversation se poursuivit un moment sur le même ton, puis, voyant Mma Ramotswe éponger la sueur sur son front, le cousin l'invita à prendre le thé à l'intérieur. Ce n'était pas le bon thé, bien sûr, mais il fut tout de même bienvenu, même s'il lui causa quelques palpitations cardiaques, effet habituel qu'avaient sur elle le thé ordinaire et le café.

— Pourquoi es-tu venue ici ? s'enquit le cousin. On m'a dit que tu étais déjà passée l'autre jour. J'étais en ville, je ne t'ai pas vue.

— J'étais venue chercher une pièce détachée pour Mr. J.L.B. Matekoni, expliqua-t-elle. Neil avait ce qu'il fallait. Mais comme je n'ai eu le temps de parler à personne, je me suis dit que je reviendrais dire bonjour.

Le cousin hocha la tête.

— Tu es toujours la bienvenue, affirma-t-il. Nous aimons voir du monde ici.

Le silence s'installa. Mma Ramotswe saisit la tasse de thé qu'il lui avait servie et en but une gorgée.

— Tout va bien ? interrogea-t-elle.

Innocente en apparence, cette question n'avait pas été posée sans arrière-pensée.

Le cousin la considéra.

— Si tout va bien ? Oui, je pense...

Mma Ramotswe attendit la suite, mais il demeura silencieux, les sourcils froncés. D'ordinaire, les gens ne froncent pas les sourcils lorsqu'ils affirment que tout va bien, songea-t-elle.

— Tu n'as pas l'air dans ton assiette, reprit-elle.

Cette remarque prit le cousin par surprise.

— Tu l'as remarqué ?

Mma Ramotswe tapota la table de son index.

— Je suis payée pour ça, répondit-elle. Je suis payée pour remarquer des choses. Alors, même quand je ne travaille pas, je remarque. Et je peux te dire qu'il se passe ici quelque chose de désagréable.

— Comment peux-tu le savoir ? s'étonna le cousin.

Avec patience, Mma Ramotswe lui parla des atmosphères, et de la façon dont on pouvait deviner que les gens avaient peur. Cela se voyait dans leurs yeux, expliqua-t-elle. La peur transparaissait toujours dans les yeux.

Le cousin écoutait, le regard dans le vague, comme font les gens qui ne souhaitent pas qu'on lise dans leurs pensées. Cela confirma l'impression de Mma Ramotswe.

— D'ailleurs, toi aussi, tu as peur, murmura-t-elle d'une voix douce. Je le vois.

Lorsque le cousin lui rendit son regard, son expression était implorante. Il se leva pour aller fermer la porte. Il n'y avait qu'une petite fenêtre dans la pièce, étroit rectangle de ciel, et ils se retrouvèrent plongés dans la pénombre. Il faisait un peu froid aussi, car le sol était en béton brut et les rayons du soleil ne pénétraient plus par la porte pour venir le réchauffer. Dans le fond, sur l'un des murs, un robinet gouttait dans une bassine sale.

Mma Ramotswe s'en était doutée, mais elle avait relégué cette idée à l'arrière de son esprit. À présent, à sa grande consternation, l'éventualité revenait et la pétrifiait. Elle pouvait faire face à n'importe quoi. Elle comprenait très bien de quoi les gens étaient capables, à quel point ils pouvaient se montrer cruels, pervers dans leur égoïsme, impitoyables. Elle pouvait affronter cela, et affronter aussi toutes les infortunes de l'existence. Elle ne craignait pas la faiblesse humaine, indigne, mais banale, qui n'appelait que la pitié, mais il y avait une chose, une seule, très sombre, qui la terrifiait, en dépit de tous ses efforts pour se raisonner. Cette chose, elle le sentait à présent, se trouvait peut-être ici et pouvait expliquer l'appréhension qui avait gagné les gens de la réserve.

Elle prit la main de son cousin et sut, à cet instant précis, qu'elle avait vu juste. Il tremblait.

— Tu dois m'expliquer, Rra, murmura-t-elle. Tu dois m'expliquer de quoi tu as peur. Qui a fait cela ? Qui a jeté un sort sur cet endroit ?

Il la considéra de ses yeux élargis par l'effroi.

— Il n'y a pas de sort, répondit-il à voix basse. En tout cas, pas encore…

— Pas encore ?

— Non. Pas encore.

Mma Ramotswe digéra l'information en silence. Elle était convaincue que, derrière tout cela, se dissimulait un sordide sorcier, un guérisseur traditionnel, peut-être, auquel ne suffisaient pas les profits tirés de son art et qui s'était lancé dans la vente de charmes et de potions. C'était un peu comme un lion qui se serait mis à manger des humains : un vieux lion, ou un lion blessé, découvrant qu'il ne pouvait plus courir derrière ses proies habituelles et qui se tournait vers les créatures à deux pattes, plus lentes, pour une chasse simplifiée. Il était aisé pour un guérisseur de se laisser tenter. *Voici quelque chose qui te rendra fort ; voici quelque chose qui te fera vaincre tes ennemis.*

Bien sûr, ce genre de pratiques étaient beaucoup moins répandues qu'autrefois, mais elles existaient encore, et leurs effets se révélaient puissants. Si vous appreniez que l'on vous avait jeté un sort, vous aviez beau proclamer haut et fort que vous ne croyiez pas à ces imbécillités, vous ne vous sentiez pas très à l'aise. Car il restait toujours, en chaque être humain, un recoin de cerveau prêt à accueillir de telles idées, surtout la nuit, dans le monde des ombres, lorsque montaient des sons que l'on ne comprenait pas et que chacun était, dans un sens, seul au monde. Certaines personnes trouvaient cela intolérable et succombaient, comme si la vie elle-même ne pouvait que baisser les bras face à ce mal. Et quand un tel événement se produisait, il ne faisait que renforcer la croyance en la puissance des charmes.

Elle contemplait à présent son cousin et comprenait sa terreur. Elle le prit par l'épaule et lui murmura quelques mots à l'oreille. Il la regarda, hésita, puis lui chuchota une réponse.

Mma Ramotswe écouta. Sur le toit, une petite créature, un lézard peut-être, traversa précipitamment la plaque de tôle, produisant un faible cliquètement. Il en était de même avec les rats, songea Mma Ramotswe ; ils faisaient du bruit la nuit, dans les chevrons, un son susceptible de réveiller une dormeuse au sommeil léger : dès lors, celle-ci se tournait et se retournait dans son lit jusqu'aux premières lueurs du jour.

Le cousin termina son explication et Mma Ramotswe s'écarta de lui. Elle acquiesça et plaça un doigt sur sa bouche en un geste de conspiratrice.

— Il ne faut pas qu'il sache, dit le cousin. Certains d'entre nous ont honte de ces choses-là.

Mma Ramotswe secoua la tête. Non, pensa-t-elle. Il ne fallait pas avoir honte. Les superstitions persistaient. N'importe qui, même les individus les plus rationnels du monde, pouvait se laisser troubler par ces choses. Elle avait lu quelque part que certaines personnes jetaient du sel par-dessus leur épaule lorsqu'elles en renversaient, ou refusaient de passer sous une échelle ou de s'asseoir sur un siège portant le numéro treize. Nulle culture n'était à l'abri de ce type de croyances et il n'y avait aucune raison que le peuple d'Afrique en ait honte, sous prétexte qu'elles n'étaient pas modernes.

— Il ne faut pas, affirma-t-elle. Quant à moi, je trouverai un moyen de régler ce problème. Je vais réfléchir à une façon élégante d'en sortir.

— Tu es gentille, Mma Ramotswe, répondit le cousin. Ton père aurait été fier de toi. Lui aussi était très gentil.

C'était la remarque la plus généreuse que l'on pût lui adresser et, pendant quelques instants, Mma Ramotswe fut incapable d'articuler un son. Alors, elle ferma les yeux et vit apparaître, sans prévenir, l'image d'Obed Ramotswe, juste devant elle, tenant son chapeau entre les mains et souriant. Il demeura là un moment, puis l'image se dissipa et disparut, la laissant seule, mais pas totalement.

Le cousin ne fut pas l'unique personne que rencontra Mma Ramotswe ce jour-là à Mokolodi. De l'atelier, elle prit le chemin du restaurant, situé près des bureaux. Quelques visiteurs vêtus de kaki, des guides touristiques dans les poches, étaient installés autour des tables disposées sur la terrasse. De l'une d'elles, une femme sourit à Mma Ramotswe et lui adressa un signe de main. Mma Ramotswe lui rendit son salut avec chaleur. Elle aimait voir des touristes visiter son pays et en tomber amoureux. N'était-ce pas naturel ? Le monde était un lieu si triste qu'il lui fallait quelques points de lumière, quelques endroits où trouver le réconfort, et si le Botswana figurait parmi eux, elle avait de quoi se sentir fière. *Si seulement ils étaient plus nombreux à savoir !* songea-t-elle. *Si seulement ils se rendaient compte qu'il y a bien davantage en Afrique que tous les problèmes qu'on leur montre ! Ils pourraient nous aimer eux aussi, autant que nous les aimons...*

La dame se leva.

— Excusez-moi, Mma, dit-elle. Cela ne vous ennuie pas ?

Elle montrait du doigt son amie, une femme très maigre qui portait un appareil photo autour du cou. Comme ses bras sont fins ! pensa Mma Ramotswe, remplie de pitié. Aussi fins que les pattes d'une mante religieuse.

Cela n'ennuyait pas Mma Ramotswe, qui fit signe à la première femme de la rejoindre, pendant que l'autre sortait l'appareil de son étui.

— Venez avec moi sur la photo.

La femme s'exécuta. Mma Ramotswe sentit son bras contre le sien, chair contre chair, chaud et sec comme l'est si souvent, et de façon si surprenante, la peau humaine. C'était exactement ce que les serpents disaient des hommes : *Et, vous savez, quand on touche ces créatures-là, elles ne sont pas visqueuses et glissantes, mais tièdes et sèches.*

Elle passa son bras sous celui de la femme : deux dames, songea-t-elle, l'une à la peau noire, originaire du Botswana, l'autre blanche, venue de très loin, d'Amérique peut-être, ou d'un pays comme cela, un lieu avec des pelouses bien entretenues, de l'air conditionné et des bâtiments étincelants, un lieu où les gens avaient envie d'aimer, pour peu qu'on leur en donnât la chance.

Le cliché fut pris, puis la femme à l'appareil souhaita être photographiée à son tour avec Mma Ramotswe. Celle-ci accepta volontiers. Elles posèrent donc ensemble et Mma Ramotswe lui saisit le bras tout en craignant de le casser, tant il semblait fragile. La femme portait un parfum assez fort, que Mma Ramotswe trouva agréable ; elle se demanda si elle-même pourrait un jour en porter un semblable et laisser derrière elle des effluves de fleurs exotiques, comme cette femme toute fine. Puis elles se dirent au revoir. Mma Ramotswe s'aperçut que la première maniait l'appareil photo assez gauchement pour le rendre à son amie. Elle parvint toutefois à le ranger dans son étui et, alors que Mma Ramotswe s'éloignait déjà, elle la rattrapa et l'entraîna à l'écart.

— C'était très gentil de votre part, Mma, lui dit-elle. Nous sommes américaines, voyez-vous. Nous sommes venues ici pour découvrir votre pays, pour voir les animaux. C'est vraiment magnifique.

— Merci, répondit Mma Ramotswe. Je suis ravie que vous...

L'étrangère lui prit la main. Une fois de plus, il y eut cette sensation de sécheresse.

— Mon amie est très malade, coupa-t-elle à voix basse. Vous ne l'avez peut-être pas remarqué, mais elle ne va pas bien.

Mma Ramotswe jeta un regard en direction de la femme maigre, qui versait du jus d'orange dans un verre. Soulever le broc semblait réclamer un effort démesuré.

— Voyez-vous, enchaîna l'autre femme, ce voyage est comme un adieu au monde. Nous avions l'habitude d'aller partout toutes les deux. Nous avons visité beaucoup de pays. Ce périple-ci sera le dernier. Alors, merci d'avoir été si gentille et de vous être laissé photographier avec nous. Merci, Mma.

Pendant quelques instants, Mma Ramotswe demeura immobile. Puis elle fit volte-face, gagna la table et rejoignit la femme maigre, qui la considéra d'un air surpris. Mma Ramotswe s'accroupit près d'elle et lui passa un bras autour des épaules. Elle sentait les os sous la fine étoffe du chemisier. Alors, avec une grande douceur, elle l'étreignit, délicatement, comme on étreint un tout petit enfant. La femme chercha sa main et la serra un bref instant dans la sienne, et Mma Ramotswe lui chuchota à l'oreille, assez fort pour qu'elle pût entendre : *Dieu veillera sur vous, ma sœur.* Ensuite, elle se releva et dit au revoir, en setswana, car c'était la langue que parlait son cœur. Quand elle s'éloigna, elle prit garde de ne pas se retourner, afin de ne pas laisser voir ses larmes.

CHAPITRE XI

Vous serez très heureux dans ce fauteuil

Mma Makutsi consulta sa montre. Lorsqu'elle avait vu Mma Ramotswe et Mr. Polopetsi s'en aller ensemble à Mokolodi, elle en avait conçu une légère irritation. Que Mma Ramotswe lui eût préféré Mr. Polopetsi pour cette expédition la contrariait. Elle avait toutefois fini par se raisonner : il ne fallait pas refuser cette expérience à Mr. Polopetsi, car en temps utile, s'était-elle souvenue, il deviendrait son assistant, un assistant assistante détective. Mma Ramotswe et lui seraient donc absents le reste de l'après-midi et, à l'agence, tout était à jour ; il ne restait plus aucun travail de classement ni de dactylographie en instance. Aussi, à quatre heures passées, ne voyait-elle plus de raison de demeurer derrière son bureau. Au garage, Mr. J.L.B. Matekoni avait achevé la délicate réparation qu'il accomplissait sur une voiture française capricieuse et renvoyé les apprentis dans leurs foyers. Il resterait sans doute encore une heure ou deux pour mettre de l'ordre. Si le téléphone sonnait, il pourrait répondre et prendre les messages. Il y avait fort peu de chances que cela se produise, toutefois, car les clients choisissaient rarement la fin d'après-midi pour appeler.

C'était le matin que parvenaient les coups de téléphone importants, car on trouvait plus aisément le courage de contacter un détective privé en début de journée. Bien souvent, en effet, cette démarche s'apparentait à un acte de bravoure : il fallait se résoudre à accepter une possibilité troublante, à regarder les choses en face, même si cela faisait mal, même si cela terrorisait. Le matin donnait la force de prendre le taureau par les cornes. Le soleil qui déclinait incitait au contraire à baisser les bras et à se résigner.

Pourtant, c'était bien en fin d'après-midi que Mma Makutsi, pour sa part, s'apprêtait à prendre une décision réclamant un courage considérable. Jusque-là, elle s'était refusée à rétablir le contact avec Phuti Radiphuti, mais elle sentait à présent qu'il convenait d'aller le trouver pour l'entendre justifier son manquement de la veille au soir. Il lui était soudain apparu qu'il pouvait exister une explication tout à fait raisonnable à son absence. Certaines personnes, parfois, se trompaient de jour. La semaine précédente, elle-même avait passé toute la journée du mardi avec l'impression que l'on était mercredi, et si cela pouvait lui arriver à elle – elle, si organisée dans sa vie personnelle, grâce à cette formation précoce et inestimable à l'Institut de secrétariat du Botswana –, il était tout à fait possible qu'un homme qui avait un grand magasin à faire tourner confonde les jours. Si tel était le cas, Phuti était sans doute allé dîner chez son père, qui n'y avait rien trouvé à redire puisque, ces derniers temps, le vieil homme semblait incapable de savoir quel jour de la semaine on était. Pour tout ce qui touchait au lointain passé, sa mémoire demeurait intacte : les amis d'alors, le bétail qu'il avait affectionné, tous les souvenirs qui se rattachaient aux jours anciens, à l'époque du Protectorat et du père de Seretse Khama, et même à un passé plus éloigné encore, tout cela restait frais dans sa tête. En revanche, les événements récents et le présent très encombré, précipité, semblaient le survoler sans le toucher. Mma Makutsi avait déjà rencontré ce genre de problèmes chez d'autres que lui. Le vieil homme n'aurait donc pas fait remarquer à Phuti qu'il se trompait de jour.

Le réconfort que lui apporta cette pensée fut toutefois de courte durée. C'était le dimanche soir que Phuti allait dîner chez son père et il semblait peu probable qu'il eût confondu ce jour avec un autre, dans la mesure où il ne travaillait pas le dimanche. Ainsi, s'il s'était trompé et était allé dîner ailleurs, ce ne pouvait être que chez sa sœur ou sa tante, les deux autres personnes qui le recevaient à leur table. Or ni l'une ni l'autre n'aurait manqué de lui signifier son erreur. Toutes deux savaient parfaitement quel jour de la semaine on était, surtout la tante. Celle-ci, qui avait joué un rôle fondamental dans la création du magasin de meubles familial, était réputée pour l'acuité de son esprit. Phuti avait expliqué à Mma Makutsi que sa tante avait le don de se souvenir en détail du prix de chaque chose, et cela ne concernait pas seulement les tarifs actuels, mais ceux de toutes les époques, jusqu'aux jours qui avaient précédé l'indépendance du pays. Elle savait par exemple combien demandaient les commerçants de quartier pour l'huile de paraffine vendue en bidon argenté, et combien coûtaient les grosses boîtes de mélasse raffinée *Lyons* ou le corned-beef *Fray Bentos* à la fin des années cinquante, ou encore les boîtes d'allumettes *Lion*, par exemple, et la *Supersonic Radio* importée de l'usine de Bulawayo. Une telle tante eût sans aucun doute informé Phuti qu'il se trouvait dans la mauvaise maison le mauvais jour s'il était venu frapper à sa porte sans être attendu. Non, se dit Mma Makutsi, il ne fallait pas se bercer d'illusions : si Phuti Radiphuti n'était pas venu dîner la veille, c'était bien qu'il avait pris ombrage de ses aveux de féminisme. Elle l'avait effrayé et l'idée qu'il risquait de devoir vivre aux côtés d'une contestataire qui passerait son temps à le harceler et à le tyranniser l'avait découragé. À tort ou à raison, certains hommes – et sans doute en faisait-il partie – voulaient épouser des femmes auprès desquelles ils ne se sentaient pas coupables d'avoir les attentes qu'ils avaient. Elle s'en voulait de ne pas l'avoir compris plus tôt. Phuti Radiphuti avait sans doute un problème de confiance en lui, avec son défaut d'élocution et ses manières hésitantes, et bien sûr, un tel homme ne pouvait vouloir d'une femme qui le persécuterait. Il souhaitait au contraire quelqu'un qui aurait du respect pour lui, du moins un minimum, et qui lui donnerait le sentiment d'être un homme. Elle aurait dû le comprendre, constata-t-elle, et faire en sorte de le réconforter, au lieu de le terroriser.

Elle consulta de nouveau sa montre, puis baissa les yeux vers ses chaussures. *Inutile de nous regarder !* crut-elle entendre. *Inutile de nous regarder, mademoiselle la féministe !* À l'évidence, elle ne trouverait aucun soutien de ce côté-là. Elle n'en trouvait jamais. Elle se tirerait de ce pétrin toute seule, ce qui signifiait qu'elle devait aller de ce pas, sans attendre davantage, au Magasin des Meubles Double Confort pour parler à Phuti avant son départ de la boutique. Elle demanderait à Mr. J.L.B. Matekoni de l'accompagner en voiture. Ce dernier était très gentil et ne refusait jamais un service.

Soudain, une idée lui vint : Mma Ramotswe n'avait-elle pas dit que Mr. J.L.B. Matekoni avait besoin d'un nouveau fauteuil ? Elle pourrait l'emmener au magasin sous prétexte de l'aider à en choisir un. Cela lui permettrait de parler à Phuti sans donner l'impression qu'elle était venue spécialement pour le voir.

Elle quitta son bureau et gagna le garage, où elle trouva Mr. J.L.B. Matekoni debout sur le pas de la porte, contemplant Tlokweng Road. Il s'essuyait les mains sur un chiffon, perdu dans ses pensées, comme s'il réfléchissait à quelque chose de bien plus important que le problème du cambouis qui maculait ses mains.

— Je suis contente de voir que vous n'avez rien à faire, Rra, déclara Mma Makutsi en s'approchant. Je viens d'avoir une idée.

Mr. J.L.B. Matekoni se retourna et la contempla, le regard vide.

— J'étais très loin d'ici, dit-il. Je réfléchissais.

— Moi aussi, j'ai réfléchi, répondit Mma Makutsi. J'ai réfléchi à ce nouveau fauteuil que Mma Ramotswe souhaite vous acheter.

Mr. J.L.B. Matekoni glissa le chiffon dans sa poche.

— Ce serait bon de pouvoir s'asseoir confortablement, avoua-t-il. Je n'arrive jamais à trouver une position confortable dans les fauteuils que nous avons à Zebra Drive. Je ne sais pas ce qui leur est arrivé, mais ils sont pleins de bosses et de ressorts.

Mma Makutsi savait fort bien ce qui était arrivé au mobilier de Zebra Drive, mais elle ne souhaitait pas s'étendre sur la question. Elle avait toujours soupçonné Mma Ramotswe de mener la vie dure à tout ce qui pouvait être équipé de ressorts – il suffisait, pour s'en convaincre, de constater à quel point la petite fourgonnette blanche penchait d'un côté (celui du conducteur), mais il y avait aussi la chaise de bureau qui, bien qu'elle n'ait pas de ressorts, présentait une légère inclinaison sur la droite, l'un des pieds s'étant déformé sous la forme traditionnelle de Mma Ramotswe.

— Vous serez très bien dans un nouveau fauteuil, assura-t-elle. Je pense que nous devrions aller au magasin tout de suite voir ce qu'ils ont à proposer. Pas pour acheter, bien sûr – cela pourra attendre que Mma Ramotswe trouve le temps d'y passer. Mais nous pourrons au moins jeter un coup d'œil et faire mettre de côté quelque chose de confortable.

Mr. J.L.B. Matekoni regarda sa montre.

— Cela nous obligerait à fermer le garage de bonne heure.

— Et alors ? contra Mma Makutsi. Les apprentis sont rentrés chez eux, Mma Ramotswe et Mr. Polopetsi sont à Mokolodi. Nous n'avons plus rien à faire ici.

Mr. J.L.B. Matekoni n'hésita que quelques instants.

— Très bien, dit-il. Allons-y maintenant, et je vous déposerai chez vous ensuite. Cela vous évitera de rentrer à pied.

Mma Makutsi le remercia et alla chercher ses affaires à l'agence. Il serait aisé de trouver un bon fauteuil pour Mr. J.L.B. Matekoni, songea-t-elle, mais comment s'y prendrait-elle pour parler à Phuti Radiphuti, maintenant qu'elle l'avait effrayé ? Et qu'allait-il lui dire ? Se contenterait-il de s'excuser en expliquant qu'il était temps de mettre un terme à leurs fiançailles ? Trouverait-il les mots pour exprimer cela, ou resterait-il planté à la regarder dans les yeux comme il avait l'habitude de le faire, pendant que sa langue chercherait désespérément des paroles qui se refuseraient à venir ?

Au Magasin des Meubles Double Confort, Phuti Radiphuti se tenait à la fenêtre de son bureau, d'où il observait le hall d'exposition. La disposition des lieux avait été conçue avec cette seule idée en tête : de son poste, le directeur devait pouvoir embrasser tout le magasin du regard et faire signe au personnel qui travaillait en bas. Si des clients venaient avec des enfants qui sautaient sur les fauteuils, ou si ceux qui essayaient les lits restaient allongés trop longtemps sur les confortables matelas – parfois, sans la moindre intention d'acheter : ils souhaitaient simplement prendre du repos avant de poursuivre leurs courses dans les autres magasins –, il pouvait ainsi attirer l'attention des vendeurs sur le problème et leur indiquer que faire d'un rapide signe de main. Un doigt pointé vers la porte signifiait *dehors ;* un poing serré, *dites-leur de tenir leurs enfants sous contrôle ;* enfin, lorsqu'il secouait l'index en direction d'un membre du personnel, celui-ci devait comprendre : *Il y a des clients qui attendent d'être servis, et toi, tu passes ton temps à bavarder avec tes camarades !*

Lorsqu'il vit entrer Mma Makutsi et Mr. J.L.B. Matekoni, il demeura un moment sans réagir, tandis que sa pomme d'Adam montait et descendait. Il avait voulu téléphoner à Mma Makutsi pour s'excuser de n'être pas venu la veille au soir, mais il avait été débordé toute la journée, avec cette visite à sa tante hospitalisée en urgence et la liste de corvées que celle-ci lui avait données à accomplir. Elle avait été admise au *Princess Marina* le matin précédent, grimaçant de douleur, et moins d'une heure plus tard, un appendice boursouflé lui avait été retiré. Il avait bien failli exploser, lui avait-on expliqué, ce qui eût été dangereux. Ainsi, contrainte de rester alitée, elle avait dicté ses instructions à Phuti, qui avait passé le reste de la journée à courir à droite et à gauche. Il n'avait pas trouvé une minute pour appeler Mma Makutsi et voilà qu'elle arrivait, réclamant une explication, avec Mr. J.L.B. Matekoni en renfort. Il allait devoir se justifier devant eux. En la voyant pénétrer dans le magasin, il sentit un nœud familier se former au creux de son estomac, un nœud qu'il ressentait jadis chaque fois qu'il devait parler et qui, immanquablement, lui paralysait la langue et les cordes vocales.

Il quitta la fenêtre et descendit dans le hall d'exposition. Mma Makutsi ne l'avait pas encore repéré, même s'il l'avait vue balayer la salle du regard à sa recherche. À présent, elle se tenait devant un gros fauteuil de cuir noir, qu'elle montrait à Mr. J.L.B. Matekoni, tandis que ce dernier se penchait pour consulter l'étiquette qui y était accrochée. Phuti Radiphuti se surprit à fouiller sa mémoire pour se souvenir du prix. Celui-ci était assez raisonnable pour un meuble aussi beau, mais il ne s'agissait assurément pas d'une affaire. Il se demanda si Mr. J.L.B. Matekoni était homme à mettre beaucoup d'argent dans un fauteuil. Il se rappelait bien sûr que Mma Makutsi lui avait parlé de la confortable maison que possédait Mma Ramotswe dans Zebra Drive ; il y avait donc de l'argent de ce côté-là. Et sans doute aussi du côté du garage que tenait Mr. J.L.B. Matekoni sur la route de Tlokweng, quoique, les rares fois où il était passé par là, il n'eût pas observé de signes d'activité intense.

Il se faufila entre plusieurs tables de salle à manger, remarquant avec irritation que quelqu'un avait laissé une empreinte de main poisseuse sur l'une d'elles, la plus belle de la collection avec sa surface noire étincelante. Ce devait être un enfant, songea-t-il. Un enfant avait posé sur la table une main qu'il avait utilisée juste avant pour fourrer des bonbons dans sa bouche. D'ailleurs, la même main s'était peut-être attardée sur le velours rouge d'un canapé, derrière la table, et il faudrait le nettoyer avec le produit spécial… Il poussa un soupir. Il importait de ne pas se laisser contrarier par ce genre de détails : le pays était plein de poussière et d'enfants aux mains poisseuses, mais aussi de termites qui prenaient plaisir à grignoter les meubles des gens. Ainsi allait le monde, et se tracasser avait pour seul effet de faire bégayer et de donner chaud à la nuque. Mma Makutsi lui avait recommandé de cesser de s'inquiéter pour tout, et il s'était efforcé de suivre son conseil ; depuis, il bégayait moins et avait moins chaud au cou. C'était une chance, songea-t-il, d'être fiancé à une telle femme. De nombreuses épouses ne faisaient que compliquer la vie à leur mari, avec leurs remontrances continuelles et leurs manières autoritaires. Il voyait ces hommes-là au magasin et les reconnaissait à leur mine défaite. Ces malheureux semblaient porter toute la misère du monde sur leurs épaules ; ils regardaient les meubles comme s'il s'agissait de motifs de soucis supplémentaires dans une existence déjà remplie d'angoisse.

— C'est un très b... b..., commença Phuti Radiphuti en s'approchant de Mma Makutsi et de Mr. J.L.B. Matekoni.

Il ferma les yeux. La sensation de chaleur lui revenait dans la nuque, en même temps que cette sorte de crampe dans les muscles de la langue. Il vit le mot BON écrit sur une feuille imaginaire ; il lui suffisait de le lire à haute voix, comme Mma Makutsi le lui avait dit, mais il n'y arrivait pas. Elle avait consulté un livre traitant de ce problème et cela l'avait aidé, mais à présent, il ne parvenait pas à dire que le fauteuil était bon.

— Un tr...

Il essayait de nouveau, mais les mots ne venaient pas. Pourquoi ne lui avait-il pas téléphoné pour lui expliquer ? Elle devait être fâchée contre lui à présent, et sans doute était-elle en train de reconsidérer leur projet de mariage.

— Il a l'air très confortable, déclara Mr. J.L.B. Matekoni en caressant un accoudoir. Ce cuir...

— Ce cuir si doux... renchérit Mma Makutsi à mi-voix. On voit souvent des fauteuils en cuir qui sont rudes au toucher. Ils sont fabriqués avec de très très vieilles vaches.

— C'est le genre de fauteuils qu'on appelle des vacheries ! commenta Mr. J.L.B. Matekoni, avant de partir d'un grand éclat de rire.

Mma Makutsi le dévisagea. Mr. J.L.B. Matekoni était quelqu'un de très gentil, estimé de tous, mais il n'était pas réputé pour la finesse de son humour. Là, il avait sans doute dit quelque chose de très amusant, mais elle se trouva prise au dépourvu, de sorte qu'elle ne rit pas.

Phuti Radiphuti, pour sa part, se mit à jouer avec un bouton de sa chemise. Dans un suprême effort pour se détendre, il ouvrit de nouveau la bouche et prononça une phrase. Cette fois, les mots lui vinrent sans peine.

— Ce fauteuil-ci est en veau et c'est du cuir pleine fleur, contrairement à celui-là, à côté, qui est en vachette et en croûte de cuir. La qualité n'est pas la même.

Mma Makutsi acquiesça d'un signe de tête. L'apparition subite de Phuti l'avait prise au dépourvu et elle ne savait que faire. Elle avait imaginé entamer la conversation par une question sur son état de santé, ce qui eût été courtois, mais en constatant qu'il s'était lancé dans une discussion technique, elle entreprit de lui expliquer que Mr. J.L.B. Matekoni cherchait un nouveau fauteuil et qu'ils se demandaient si quelque chose comme cela lui conviendrait.

Phuti Radiphuti l'écouta avec une extrême attention, puis se tourna vers Mr. J.L.B. Matekoni.

— Ce fauteuil vous plaît-il, Rra ? interrogea-t-il. Asseyez-vous dedans pour voir comment vous vous sentez. Il est toujours bon d'essayer un fauteuil avant de se décider.

— Oh, je suis juste venu regarder, se récria Mr. J.L.B. Matekoni à la hâte. J'ai vu ce fauteuil-ci, mais il y en a beaucoup d'autres…

Il avait lu l'étiquette et l'article était loin d'être bon marché. Pour cette somme, on pouvait faire réaléser un moteur.

— Asseyez-vous tout de même, insista Phuti Radiphuti en souriant à Mma Makutsi. Ainsi, vous saurez que c'est un bon fauteuil. Vous n'aurez plus à vous poser la question.

Mr. J.L.B. Matekoni s'exécuta et Phuti Radiphuti l'interrogea du regard.

— Alors, Rra ? N'est-il pas confortable ? Ce fauteuil a été fabriqué à Johannesburg, dans une très grosse usine. Il y en a beaucoup de semblables à Johannesburg.

— Il est très confortable, reconnut Mr. J.L.B. Matekoni. Oui, très confortable. Mais il faut que je regarde aussi les autres. Je suis sûr qu'il y en a d'autres tout aussi agréables dans votre magasin.

— Oh, évidemment ! acquiesça Phuti. Mais quand on en a trouvé un qui nous convient, mieux vaut ne pas en choisir un autre.

Mr. J.L.B. Matekoni lança un coup d'œil à Mma Makutsi. Il avait besoin de son aide à présent, mais elle semblait perdue dans des pensées qui lui étaient propres. Elle regardait Phuti Radiphuti, le fixait, même, d'une façon que Mr. J.L.B. Matekoni trouvait assez déconcertante. C'était comme si elle attendait de lui des paroles qu'il ne prononçait pas : sans doute s'agissait-il d'affaires privées, songea-t-il, dont ils feraient mieux de discuter franchement en tête à tête, au lieu d'échanger de tels regards. Les femmes avaient toujours des affaires privées à régler avec les hommes. À chaque instant, il se passait quelque chose en arrière-fond – elles manigançaient une vengeance ou ruminaient des griefs pour un manque d'égards, un défaut d'attention tout à fait involontaire, bien sûr, mais qu'elles remarquaient et enregistraient pour l'examiner plus avant. Et la plupart du temps, les hommes n'avaient aucune idée de ce qui se tramait, jusqu'au moment où toute cette frustration accumulée se déversait en un torrent de récriminations et de larmes. Par chance, Mma Ramotswe n'était pas comme cela. Elle se montrait dynamique et directe. Cette Mma Makutsi, en revanche, avec ses grosses lunettes rondes, devait être différente pour ce qui concernait les hommes, et ce pauvre garçon, ce Phuti Radiphuti, devait s'attendre à passer des moments difficiles. Lui-même n'aurait pas aimé être fiancé à Mma Makutsi. Certainement pas. Avec son fameux 97 sur 100 et ses manières brusques, cette femme le terrifiait. Pauvre Phuti Radiphuti !

Mma Makutsi, qui n'avait presque rien dit depuis l'arrivée de Phuti Radiphuti, prit la parole :

— Il est très important pour un homme d'être bien assis, annonça-t-elle. Avec toutes les décisions importantes qu'ils ont à prendre, les hommes doivent avoir de bons fauteuils dans lesquels réfléchir. C'est en tout cas ce que j'ai toujours pensé.

Cette déclaration faite, elle jeta un coup d'œil à la dérobée à Phuti Radiphuti, puis regarda ses chaussures. Elle s'attendait presque à voir celles-ci la contredire, lui reprocher cette soudaine entorse à ses convictions profondes, selon lesquelles c'étaient les femmes qui prenaient les décisions importantes pour les hommes, de façon subtile et sans rien en laisser paraître. Elle avait eu d'innombrables conversations avec Mma Ramotswe sur ce point, et les deux femmes étaient toujours tombées d'accord. Et voilà qu'à présent elle suggérait lâchement que c'étaient les hommes qui, assis dans de confortables fauteuils, disposaient en maîtres de leurs choix. Elle fixa un bon moment ses chaussures, qui gardèrent le silence, abasourdies, sans doute, par la soudaineté de sa volte-face.

Phuti Radiphuti regardait Mma Makutsi, souriant comme un homme qui vient de faire une découverte agréable.

— C'est vrai, dit-il. Mais tout le monde a droit à un bon fauteuil. Les femmes également. Elles aussi doivent réfléchir à beaucoup de choses importantes.

Mma Makutsi fut prompte à acquiescer.

— Oui, mais même si tu me trouves peut-être un peu vieux jeu, j'ai toujours pensé que les hommes sont particulièrement importants. C'est comme ça que j'ai été élevée, je n'y peux rien, tu comprends...

Le sourire de Phuti Radiphuti parut s'élargir encore à cette remarque.

— J'espère que tu n'es pas trop traditionnelle dans tes idées, tout de même, dit-il. Les hommes modernes n'aiment pas tellement ça. Ils apprécient que leur épouse ait son propre point de vue.

— Oh, j'ai mes idées, c'est sûr ! affirma Mma Makutsi en toute hâte. Je ne suis pas du genre à laisser les autres réfléchir à ma place.

— C'est b... b... bien, répondit Phuti Radiphuti.

Il venait de s'apercevoir qu'il avait parlé longtemps sans bégayer et cette constatation le désarçonnait quelque peu, mais il se sentait soulagé de voir que Mma Makutsi ne paraissait pas fâchée qu'il ne lui ait rien dit au sujet de son absence au dîner de la veille. À présent, les mots coulaient avec fluidité, et il put lui parler de la maladie de sa tante et lui expliquer qu'il avait dû l'accompagner à l'hôpital. Elle le rassura, déclarant que, même si elle avait en effet remarqué son absence, elle avait pensé qu'il devait avoir une bonne raison de ne pas venir et elle ne s'était pas fait de souci.

Quelle menteuse vous faites, patronne ! lui lancèrent soudain les chaussures. Occupée à écouter l'homme qui, de nouveau, allait devenir son mari, Mma Makutsi n'avait cependant pas de temps à perdre avec les commentaires de ces deux grincheuses, aussi ne les entendit-elle pas.

— Bon, déclara Phuti Radiphuti. Voulez-vous voir les autres fauteuils, ou est-ce celui-ci qui vous plaît ?

Mr. J.L.B. Matekoni tâta de nouveau le cuir. C'était une sensation très douce et il s'imaginait déjà dans le salon de Zebra Drive, installé dans son fauteuil, à caresser les accoudoirs en contemplant le plafond. Derrière lui, dans la cuisine, Mma Ramotswe serait occupée à la préparation du dîner et l'odeur terriblement appétissante de l'un de ses délicieux ragoûts flotterait dans l'appartement. C'était une vision de perfection, un avant-goût de ce que devait être le paradis, s'il existait. Était-ce mal pour un homme d'être assis dans un tel fauteuil et d'avoir des pensées comme celles-là ? se demanda-t-il. Pas vraiment, même si, ces derniers temps, on voyait de plus en plus de gens chercher à culpabiliser les hommes à ce propos. Il avait récemment entendu à la radio une émission dans laquelle l'une de ces personnes – une femme – affirmait que les hommes étaient paresseux par nature et qu'ils voulaient que les femmes soient en permanence à leur service. Quelle drôle d'idée ! Lui-même, pour commencer, était loin d'être paresseux. Toute la journée, il travaillait dur au Tlokweng Road Speedy Motors, il ne laissait jamais tomber un client et il confiait à Mma Ramotswe tout l'argent qu'il gagnait pour régler leurs dépenses communes. Et si, de temps en temps, il lui prenait l'envie de s'asseoir dans un fauteuil afin de délasser ses membres endoloris, y avait-il quoi que ce fût à y redire ? Mma Ramotswe aimait bien faire la cuisine et lorsqu'il s'avisait de venir lui demander s'il pouvait lui être utile, elle le chassait sans cérémonie. Non, décidément, de telles personnes se montraient injustes envers les hommes et, de plus, elles se trompaient. À ce moment de sa réflexion, il se prit à penser aux apprentis et s'aperçut alors qu'il y avait peut-être du vrai dans ce qui avait été dit. C'étaient ces garçons-là qui donnaient une mauvaise image des hommes, avec leurs manières négligées et leur arrogance envers les femmes. C'étaient eux.

— Alors, c'est ce fauteuil-ci qui vous plaît ?

La question de Phuti Radiphuti ramena Mr. J.L.B. Matekoni dans le Magasin des Meubles Double Confort et lui fit prendre conscience qu'il était assis dans un fauteuil qu'il n'avait sans doute pas les moyens de s'offrir.

— Il me plaît beaucoup, répondit-il, mais je pense qu'il vaudrait peut-être mieux regarder quelque chose d'un peu moins cher. Je ne pense pas que Mma Ramotswe...

Phuti Radiphuti leva la main pour l'interrompre.

— Ce fauteuil vient d'être soldé, affirma-t-il. Il est à cinquante pour cent. Maintenant. Spécialement pour vous.

— Cinquante pour cent ! s'exclama Mma Makutsi. Mais c'est merveilleux ! Vous devez l'acheter, Mr. J.L.B. Matekoni. C'est une très bonne affaire !

— Mais qu'est-ce que Mma Ramotswe...

— Elle vous remerciera, coupa Mma Makutsi avec fermeté. Mma Ramotswe aime les bonnes affaires, comme toutes les femmes. Elle sera ravie.

Mr. J.L.B. Matekoni hésita. Il avait très envie d'un fauteuil confortable. Sa vie était remplie d'essieux, de pièces de moteur et de cambouis. Elle était une bataille, une bataille de chaque instant : il fallait maintenir les moteurs en état de marche malgré la poussière et les bosses sur les routes, autant d'ennemis pour les mécanismes ; il fallait empêcher les apprentis de casser tout ce qu'ils touchaient. Mr. J.L.B. Matekoni se battait en permanence. Alors, à la fin de la journée, un fauteuil comme celui-ci pouvait apporter bien des compensations. Il était impossible d'y résister.

Il se tourna vers Phuti Radiphuti.

— Pourrez-vous le livrer à Zebra Drive ?

— Bien entendu, répondit Phuti Radiphuti.

D'un geste affectueux, il tapota le dossier du fauteuil.

— Vous serez très heureux dans ce fauteuil, Rra. Très heureux.

CHAPITRE XII

Tension artérielle

Si l'on avait pressé Mma Ramotswe de s'exprimer en toute honnêteté, si on l'avait pressée avec insistance, sans doute eût-elle fini par admettre qu'en réalité il se passait fort peu de choses à l'Agence N° 1 des Dames Détectives. Du moins, en règle générale. Il y avait néanmoins des pics d'activité, où, tout à coup, plusieurs problèmes se présentaient simultanément. Il s'agissait cependant d'exceptions : d'ordinaire, les investigations soumises à l'agence se révélaient très simples et Mma Ramotswe trouvait la solution assez vite. Il lui suffisait de poser à une personne une question directe, à laquelle elle obtenait une réponse tout aussi directe. C'était bien joli de la part de Clovis Andersen de s'étendre sur la complexité du travail d'investigation, et même sur les périls que certaines missions comportaient, mais cela ne concernait guère l'Agence N° 1 des Dames Détectives.

Parfois, au contraire, pensait Mma Ramotswe, Clovis Andersen lui-même eût été impressionné par le nombre de problèmes importants que Mma Makutsi et elle avaient à régler, et les journées qui suivirent la visite à Mokolodi constituèrent une période de ce type.

Le lendemain même, en l'une de ces glorieuses matinées où le soleil ne se fait pas trop implacable, où l'air est clair et où les colombes, dans leur royaume de feuillage, semblent plus vives et plus alertes, ce matin-là, donc, Mma Makutsi annonça qu'elle voyait, de son poste de travail, une femme debout sur le seuil de l'agence et qui hésitait à frapper.

— Il y a une dame qui a envie d'entrer, indiqua-t-elle. Je pense que c'est l'une de ces personnes qui sont gênées de venir nous trouver.

Mma Ramotswe tendit le cou pour apercevoir la silhouette de la nouvelle venue.

— Allez-y et invitez-la à entrer, commanda-t-elle. Cette pauvre femme…

Mma Makutsi se leva, rajusta ses grosses lunettes rondes, puis se dirigea vers la porte. Après avoir salué la visiteuse avec courtoisie, elle l'interrogea :

— Vouliez-vous entrer, Mma ? Ou aviez-vous juste envie de rester un peu ici ?

— Je cherche Mma Ramotswe, reconnut la jeune femme. Êtes-vous cette dame ?

Mma Makutsi secoua la tête.

— Non, je suis une autre dame, répondit-elle. Je suis Mma Makutsi. Je suis l'assistante détective.

La jeune femme lui lança un rapide coup d'œil, puis détourna le regard. Mma Makutsi remarqua qu'elle jouait avec le mouchoir qu'elle tenait entre les mains, le tordant avec angoisse. Avant, se dit-elle, je faisais la même chose avec mon mouchoir quand j'étais angoissée. Je le tordais pendant les entretiens. Je le tordais pendant les examens. Cette pensée provoqua en elle un élan de sympathie envers cette femme qu'elle ne connaissait pas, quel que pût être le problème qui l'amenait devant cette porte. Il serait encore question d'un homme, bien sûr, c'était si souvent le cas ! Elle avait dû être traitée avec brutalité, peut-être par un individu à qui elle avait prêté de l'argent. Peut-être avait-elle pris de l'argent à son employeur pour venir en aide à cet homme sans scrupules. Cela se produisait si souvent qu'il ne valait même plus la peine d'en parler. Et voilà que cela recommençait…

Mma Makutsi posa une main légère sur le bras de la visiteuse.

— Si vous voulez bien m'accompagner, ma sœur, dit-elle, je vais vous conduire auprès de Mma Ramotswe. Elle est à l'intérieur.

— Je ne voudrais pas la déranger, répondit la femme. Elle doit être très occupée.

— Elle n'est pas occupée du tout en ce moment, assura Mma Makutsi. Elle sera très heureuse de vous recevoir.

— Combien est-ce que…

Mma Makutsi plaça un doigt sur ses lèvres.

— Inutile de parler de cela maintenant, coupa-t-elle. Ce n'est pas aussi excessif que vous l'imaginez. En plus, nous faisons payer les gens en fonction de leurs possibilités. Nous ne prenons pas très cher.

Ces paroles rassurantes produisirent l'effet souhaité. Lorsqu'elle pénétra dans l'agence en compagnie de Mma Makutsi, la jeune femme paraissait plus détendue. Et quand elle découvrit Mma Ramotswe assise à son bureau, souriante, ses craintes semblèrent s'apaiser encore.

— Mma Makutsi va nous préparer du thé, déclara cette dernière. Et il me semble que nous avons aussi des beignets. Y a-t-il des beignets ce matin, Mma Makutsi ?

— Oui, il y en a. J'en ai acheté trois, au cas où.

À l'origine, c'était pour elle qu'elle avait acheté le troisième ; elle entendait le déguster sur le chemin du retour. Elle le donnerait toutefois de bon cœur à cette jeune femme, qui s'installait à présent sur la chaise, devant le bureau de Mma Ramotswe.

— Bon, lança Mma Ramotswe. De quoi s'agit-il, Mma ? Que peut faire pour vous l'Agence N° 1 des Dames Détectives ?

— Je suis infirmière, commença la visiteuse.

Mma Ramotswe hocha la tête. Cela ne la surprenait guère. Il y avait, chez les infirmières, des détails qu'elle repérait sans peine : une certaine netteté, un soin tout clinique. Elle ne s'y trompait jamais.

— C'est un bon métier, commenta-t-elle. Mais vous ne m'avez pas dit votre nom.

La jeune femme contempla ses mains croisées sur ses genoux.

— Faut-il vraiment que je vous dise qui je suis ? Suis-je obligée ?

Mma Ramotswe et Mma Makutsi échangèrent un regard à travers le bureau.

— Ce serait mieux, répondit Mma Ramotswe avec douceur. Ce que l'on nous confie ici ne sort jamais de cette pièce, n'est-ce pas, Mma Makutsi ?

Mma Makutsi confirma. Toutefois, la jeune femme hésitait encore.

— Écoutez, Mma, reprit Mma Ramotswe. Nous avons entendu ici tout ce qu'il est possible d'entendre. Vous n'avez pas à avoir honte.

La visiteuse tressaillit.

— Mais je n'ai pas honte, Mma ! se récria-t-elle. Je n'ai rien fait de mal. Je n'ai pas honte.

— Bien, acquiesça Mma Ramotswe.

— En fait, j'ai peur, reprit la jeune femme. Je n'ai pas honte, j'ai peur.

Ces paroles restèrent suspendues quelques instants dans le silence. Assise à son bureau, les coudes sur la table, Mma Ramotswe avait fait glisser ses chaussures et se rafraîchissait la plante des pieds au contact du sol de béton ciré. Elle songeait : *C'est la deuxième fois en deux jours que j'entends ces mots.* Il y avait d'abord eu le cousin de Mokolodi et, à présent, cette femme. Dans la claire lumière du jour, quand les gens étaient pris par leurs activités et que le soleil brillait dans le ciel, on parvenait à évoquer la peur, mais elle n'en donnait pas moins le frisson. Elle considéra la femme qui lui faisait face, cette infirmière qui travaillait dans un monde de murs blancs et de désinfectant et qui, malgré cela, se trouvait en butte à quelque chose de sombre et d'inquiétant. Ainsi en allait-il avec la peur : elle attaquait par l'intérieur, indifférente à ce qui se passait au-dehors.

Mma Ramotswe adressa un signe à Mma Makutsi. Il fallait mettre la bouilloire en marche et préparer le thé. Quel que fût le problème qui troublait cette jeune femme, le thé la libérerait d'une part de ses angoisses. C'était comme ça : le thé avait cet effet-là.

— Vous n'avez pas à avoir peur ici, déclara Mma Ramotswe d'un ton bienveillant. Nous ne vous voulons que du bien. Vous n'avez pas à avoir peur.

La jeune femme la considéra quelques instants, puis prit la parole.

— Je m'appelle Boitelo, dit-elle. Boitelo Mampodi.

Mma Ramotswe eut un hochement de tête encourageant.

— Je suis heureuse que vous me l'ayez dit, commenta-t-elle. Maintenant, Mma, nous allons boire le thé ensemble et vous pourrez me raconter ce qui vous effraie. Prenez votre temps. Personne n'est pressé, ici. Prenez tout le temps qu'il vous faut pour m'expliquer ce qui vous trouble. D'accord ?

Boitelo acquiesça.

— Je suis désolée, Mma, dit-elle. J'espère que je ne vous ai pas donné l'impression que je n'avais pas confiance en vous.

— Je ne l'ai pas pensé un seul instant, assura Mma Ramotswe.

— C'est juste que vous êtes la première personne à qui je parle de… de ces choses-là…

— Ce n'est pas facile, confirma Mma Ramotswe. Il n'est jamais facile de parler de choses qui nous préoccupent. Parfois, on ne peut même pas se confier à ses amis.

Du fond de la pièce leur parvint le sifflement de la bouilloire indiquant que l'eau était prête. Au-dehors, dans les branches de l'acacia qui déployaient leur ombre sur le mur arrière du bâtiment, une colombe grise appelait son compagnon en roucoulant. *Elles s'unissent pour la vie*, se surprit à penser Mma Ramotswe. *Les colombes s'unissent pour la vie.*

— Cela vous ennuie si je commence par le début ? interrogea Boitelo.

Face à la plupart des clients, on ne pouvait en demander autant, se félicita Mma Ramotswe. En général, les gens commençaient par la fin, ou quelque part vers le milieu. Très peu de personnes présentaient les événements dans l'ordre et expliquaient clairement ce qui se passait. Mais bien sûr, Boitelo était infirmière, et les infirmières savaient comment s'y prendre pour faire raconter leur histoire aux gens, en passant sur les détails inutiles afin de parvenir au fond du problème. Elle fit signe à Boitelo de commencer, tandis que Mma Makutsi plaçait le thé rouge dans une théière et le noir dans l'autre (pour elle). Il est important de laisser le choix aux clients, songeait l'assistante. Mma Ramotswe s'imaginait que tout le monde aimait le thé rouge, alors que rien n'était moins sûr. Elle-même, par exemple, préférait le thé ordinaire, tout comme Phuti Radiphuti… Phuti Radiphuti ! À la seule évocation de ce nom, elle sentit une vague de chaleur et de contentement l'envahir. Mon homme ! pensa-t-elle. J'ai un homme… Et bientôt,

j'aurai un mari ! Ce qui est bien plus, je le soup-
çonne, que ce que possède cette pauvre Boitelo.

— Je viens d'un petit village, commença Boitelo.
Par là-bas, du côté de Molepolole. Je ne pense pas
que vous le connaissiez, parce qu'il est minuscule.
J'ai été formée à l'hôpital de Molepolole – ça, ça
vous dit quelque chose, n'est-ce pas ? C'est celui que
l'on appelait autrefois le *Scottish Livingstone Hospi-
tal*. Celui où travaillait le Dr Merriweather.

— C'était un excellent homme, fit remarquer Mma
Ramotswe.

La réponse de Boitelo fusa.

— Certains médecins sont d'excellents hommes,
confirma-t-elle.

Il y avait dans sa voix une note qui alerta Mma
Ramotswe. *Oui, c'est cela !* conclut-elle aussitôt. Le
vieux problème des infirmières. Les médecins leur
font des avances. Cette jeune femme est harcelée par
un médecin. Voilà pourquoi elle a peur. C'est très
simple. En fait, il n'y a pas grand-chose d'original
dans la marche du monde. Les mêmes phénomènes
se reproduisent sans cesse.

— Pensez-vous qu'un docteur puisse être malhonnête ? interrogea alors Boitelo.

Mma Ramotswe se souvint des deux hommes
qu'elle avait connus quelques années auparavant, ces
jumeaux impliqués dans une fraude fort rémunéra-
trice, partageant un seul diplôme entre eux. Oui, les
docteurs pouvaient être malhonnêtes. Ces deux-là
l'étaient : ils n'avaient pas manifesté le moindre
souci pour la santé de leurs patients, tout comme ces
médecins dont on parlait dans les journaux, ceux qui
tuaient leurs malades par bravade. Ces histoires
étaient choquantes, car elles représentaient le pire
abus de confiance imaginable, mais elles n'en semblaient pas moins véridiques. L'espace d'un instant,

Mma Ramotswe envisagea la dramatique possibilité que Boitelo se soit retrouvée à travailler au service de l'un de ces hommes, ici même, à Gaborone. Cela lui donnerait de vraies raisons d'avoir peur. En songeant à cette éventualité, Mma Ramotswe avait déjà la chair de poule.

— Oui, répondit-elle. Je le pense. Il existe des médecins très malveillants qui ont même tué leurs patients.

Elle s'interrompit, hésitant à poser la question.

— Vous n'êtes pas tombée sur une histoire de ce genre, si ?

Elle espérait entendre Boitelo la détromper aussitôt, mais ce ne fut pas le cas. Pendant un moment, la jeune femme sembla réfléchir à la question, puis elle répondit enfin :

— Pas tout à fait.

Derrière elle, Mma Makutsi tressaillit. Elle était allée chez le docteur quelques jours plus tôt et il lui avait donné une petite boîte de cachets blancs qu'elle prenait religieusement. Il était si simple pour un médecin de faire avaler aux gens des produits fatals si l'envie lui en prenait, sachant que les patients suivraient ses prescriptions en toute confiance. Mais quel intérêt cela pouvait-il présenter ? Qu'est-ce qui pouvait pousser un médecin à tuer ceux qu'il était censé sauver ? Une folie quelconque ? Un besoin que l'on avait tous, de temps à autre, de faire des choses bizarres et dénuées de sens ? Elle-même, il lui était arrivé, à une ou deux reprises, d'avoir envie de jeter une théière à la tête de Mr. J.L.B. Matekoni. Elle avait été étonnée qu'une idée aussi odieuse ait pu pénétrer son cerveau, mais c'était bel et bien le cas, et elle était restée immobile, à se demander ce qui se passerait si elle saisissait la théière posée sur la table et la lançait de toutes ses forces sur le pauvre Mr. J.L.B. Matekoni, qui buvait paisiblement son thé de l'après-midi, l'esprit encombré de boîtes de vitesses, de systèmes de freinage et de toutes ces choses dont sa tête était pleine. Bien sûr, elle n'était pas passée à l'acte, et cela n'arriverait jamais, mais l'idée s'était trouvée là, visiteuse indésirable dans un cerveau d'ordinaire parfaitement rationnel. Peut-être étaient-ce des choses du même ordre qui arrivaient aux médecins qui tuaient délibérément leurs patients…

— Pas tout à fait ? répéta Mma Ramotswe. Vous voulez dire que…

Boitelo secoua la tête.

— Je veux dire que je ne pense pas que le médecin dont je parle irait jusqu'à injecter une dose de morphine mortelle à un patient. Non, ce n'est pas cela. Malgré tout, je pense que ce qu'il fait n'est pas bien. Mais, ajouta-t-elle après un temps d'arrêt, je voulais commencer par le début, Mma. Êtes-vous d'accord ?

— Oui, approuva Mma Ramotswe. Et je ne vous interromprai plus. Allez-y, commencez. Mais auparavant, Mma Makutsi va vous servir du thé. C'est du thé rouge, Mma. Cela vous va ?

— Le thé rouge est très bon pour la santé, affirma Boitelo en prenant la tasse que lui tendait Mma Makutsi. Ma tante, qui est décédée, en buvait toujours.

Mma Ramotswe ne put réprimer un sourire. Il semblait étrange de dire qu'une chose était bonne pour la santé tout en précisant, dans la même phrase, que la personne qui en prenait était morte. Il n'y avait pas nécessairement de rapport, bien sûr, mais cela n'en restait pas moins étonnant. Elle imagina une publicité : *Thé rouge : la boisson très appréciée des morts.* Cela ne ferait pas un bon slogan, lui semblait-il, quelle que fût l'intention qui le sous-tendait.

Boitelo but une gorgée de thé et reposa sa tasse sur la table.

— Lorsque j'ai eu mon diplôme, poursuivit-elle, je suis allée travailler à l'hôpital *Princess Marina*. J'assistais les chirurgiens pendant les opérations et je pense que j'étais très efficace dans ce rôle. Mais au bout d'un certain temps, j'en ai eu assez de rester tout le temps debout derrière les docteurs, à leur passer les instruments. Et puis, les lumières me donnaient mal à la tête. Je ne crois pas qu'elles soient très bonnes pour les yeux, ces lumières-là. Quand je sortais de la salle d'opérations et que je fermais les yeux, je voyais des cercles brillants, comme si elles étaient encore là. J'ai donc décidé de changer de travail et j'ai lu une annonce disant que l'on recherchait une infirmière pour un cabinet de généraliste. Cela m'intéressait. Le cabinet n'était pas loin de chez moi et je pouvais même y aller à pied. Je me suis donc présentée pour l'entretien d'embauche.

« L'entretien devait avoir lieu un lundi après-midi, après les consultations du médecin. J'étais censée travailler ce jour-là, mais j'ai pu changer avec une autre infirmière. J'y suis donc allée et j'ai rencontré pour la première fois le Dr…

Elle s'interrompit au moment où elle allait donner le nom du médecin. Mma Ramotswe se souvint qu'elle avait confessé avoir peur.

— Vous n'avez pas besoin de me le dire, intervint-elle.

Boitelo parut soulagée.

— Le docteur était là. Il a été gentil et m'a dit qu'il était très content de voir que j'avais travaillé en salle d'opérations, car il estimait que ces infirmières-là étaient très sérieuses et qu'il serait bon d'en avoir une comme assistante. Puis il m'a expliqué en quoi consisterait mon travail. Il m'a demandé si je savais ce qu'était la confidentialité, le fait qu'il ne fallait pas parler à l'extérieur de ce que je pouvais voir ou entendre dans le cadre du cabinet. Je lui ai répondu que oui.

« Et puis, il m'a dit : "J'ai un ami qui vient de se faire opérer au *Princess Marina*. Peut-être pouvez-vous me donner de ses nouvelles ?" Il m'a dit le nom de son ami, qui est célèbre parce qu'il joue très bien au football et qu'il est très beau. J'avais assisté à l'opération et j'ai failli lui répondre que je pensais que tout s'était bien passé. Mais tout à coup, j'ai compris que c'était une ruse et que je ne devais rien révéler. Alors, j'ai répondu : "Je suis désolée, mais je n'ai pas le droit d'en parler. Excusez-moi."

« Il m'a regardée et j'ai cru un moment qu'il était en colère et qu'il allait crier parce que je refusais de lui répondre. Mais finalement, il a souri et il m'a dit : "C'est très bien de respecter le secret médical. La plupart des gens n'y arrivent pas. Je pense que vous serez une infirmière parfaite pour ce cabinet."

Boitelo prit une gorgée de thé.

— Je devais normalement donner un préavis d'un mois au *Princess Marina*, mais j'ai pu me débrouiller pour commencer tout de suite dans mon nouveau travail. Ce que je faisais me plaisait beaucoup. Je n'avais plus à rester debout pendant des heures dans une salle d'opérations et l'on me confiait des tâches que, souvent, les infirmières ne sont pas autorisées à accomplir. Je faisais par exemple de petits actes chirurgicaux, comme soigner des ongles incarnés ou brûler des verrues. J'adorais brûler les verrues, parce que j'aime le contact glacé de la neige carbonique sur mes doigts.

« J'étais vraiment très heureuse dans mon nouveau travail et je pensais être l'une des infirmières les plus chanceuses du pays, avec ce médecin qui me permettait de faire tout cela. Seulement, il s'est passé quelque chose et j'ai commencé à me poser des questions. Un détail m'a paru bizarre, et j'ai décidé de vérifier.

C'est à ce moment-là que j'ai compris une chose qui m'a beaucoup perturbée. Tellement perturbée, que j'ai décidé de venir vous voir, Mma Ramotswe, parce qu'on dit que vous êtes quelqu'un de bien et que vous êtes très gentille avec les gens qui viennent vous parler de leurs problèmes. Voilà pourquoi je suis ici.

Absorbée par le récit, Mma Ramotswe avait laissé refroidir sa tasse. Elle aimait boire son thé rouge très chaud, alors qu'il venait d'être servi et qu'il brûlait la langue. À présent, il avait tiédi. L'histoire de Boitelo lui était familière, du moins dans la mesure où elle suivait un schéma qu'elle avait très souvent rencontré. Tout commençait bien et soudain… soudain, on croisait quelqu'un et rien n'était plus comme avant. Elle avait elle-même vécu cela, avec son premier mari, Note Mokoti, joueur de jazz et homme à femmes, qui l'avait fait passer, en l'espace d'une brève période, d'un monde de joie et d'optimisme à un univers de souffrance et de peur. De telles personnes – des hommes comme Note – traversaient l'existence en propageant le désespoir autour d'eux, tels des herbicides tuant les fleurs et toutes ces belles choses qui poussaient dans la vie des gens et qu'ils desséchaient par leur malveillance et leur mépris.

À peine sortie de l'enfance, elle avait été trop naïve pour soupçonner le mal chez autrui. Les jeunes, pensait Mma Ramotswe, croient que les gens sont bons. Ils ne se doutent pas que certaines personnes de leur entourage, des gens de leur âge, peuvent être malfaisantes et sans valeur. Et puis, soudain, ils le découvrent, ils voient de quoi ces autres sont capables, à quel point ils peuvent se montrer égoïstes, insensibles dans leurs actes. Cette découverte est parfois douloureuse, comme dans son cas à elle, mais il importe de la faire. Bien sûr, cela ne signifiait pas qu'il faille se réfugier dans le cynisme ; bien sûr que non. Mma Ramotswe avait appris à être réaliste fac aux gens, ce qui ne voulait pas dire que l'on ne pût pas déceler du bon chez la plupart d'entre eux, même si ce côté positif était obscurci par le reste. Avec de la persévérance, si l'on donnait aux individus une chance de montrer leurs bons côtés et – c'était important – si l'on était prêt à leur pardonner, ils pouvaient manifester une remarquable aptitude à modifier leur comportement. Bien sûr, il y avait l'exception de Note Mokoti. Celui-ci ne changerait jamais, bien qu'elle lui eût pardonné, la dernière fois, lorsqu'il était venu la voir et lui avait réclamé de l'argent. Il avait montré que son cœur, en dépit de tout, restait plus dur que jamais.

Mma Ramotswe s'aperçut que Boitelo l'observait. Sans doute se demandait-elle à quoi elle réfléchissait. Elle ne pouvait se douter que la femme qui lui faisait face, la détective de constitution traditionnelle dont la tasse de thé refroidissait rapidement, songeait à la nature humaine, au pardon et à ces sortes de choses.

— Excusez-moi, Mma, dit Mma Ramotswe. J'ai parfois l'esprit qui vagabonde. C'est une chose que vous avez dite. Maintenant, il est avec vous. Maintenant, il vous écoute de nouveau.

— L'une des tâches que je ne faisais jamais, reprit Boitelo, c'était prendre la tension des patients. N'importe quelle infirmière sait faire ça. Il y a un appareil que l'on passe autour du bras du patient, puis on pompe avec une poire. On a déjà dû vous prendre la tension, Mma, non ? Vous savez sûrement de quoi je parle…

C'était vrai. Mma Ramotswe s'était fait prendre la tension, et cela avait amené son médecin à lui expliquer qu'elle devait tenter de perdre du poids. Elle avait suivi son conseil pendant une brève période, mais n'avait pas tenu. C'était difficile. Parfois, les médecins ignoraient à quel point c'était difficile. Les médecins de constitution traditionnelle le savaient, bien sûr, mais pas ces jeunes docteurs gringalets, qui se souciaient peu de tradition.

— Ma tension était un peu élevée, avoua Mma Ramotswe.

— Dans ce cas, il faut maigrir, rétorqua Boitelo. Vous devez faire un régime, Mma Ramotswe. C'est ce que je dis à beaucoup de dames qui viennent au cabinet. Beaucoup d'entre elles sont... sont comme vous. Faites un régime et réduisez le sel. Plus de *biltong* ni d'aliments trop salés.

Mma Ramotswe crut entendre Mma Makutsi ricaner derrière elle, mais elle ne se retourna pas. Jamais encore une cliente ne lui avait conseillé de se mettre au régime et elle se demanda ce que ferait Clovis Andersen dans une telle situation. Il ne cessait d'insister sur la nécessité de se montrer courtois envers le client – un chapitre entier traitait de ce thème dans *Les Principes de l'investigation privée* –, mais il ne disait pas un mot sur les clients qui vous conseillaient de maigrir.

— Je vais y réfléchir, Mma, répondit-elle poliment. Merci du conseil. Mais revenons à cette découverte que vous avez faite. Quel rapport cela a-t-il avec la tension ?

— Eh bien, déclara Boitelo, j'étais assez étonnée que l'on ne me demande jamais de prendre la tension des patients. C'était toujours le médecin qui le faisait et il conservait le tensiomètre dans son cabinet de consultation, dans un tiroir de son bureau. Je le voyais parfois l'utiliser quand j'entrais pour lui apporter quelque chose, mais il ne me laissait jamais y toucher. Je pensais que c'était peut-être parce qu'il aimait actionner la poire – vous savez que les hommes ont parfois des comportements de petits garçons – et je n'y réfléchissais pas trop. Mais un jour, j'ai fini par utiliser l'instrument, et là, j'ai eu une grosse surprise.

« C'était un vendredi, je crois, mais cela n'a pas vraiment d'importance, Mma. Cependant, c'est parce qu'on était vendredi que le docteur n'était pas là. Le vendredi, il aime aller déjeuner avec des amis à l'*Hôtel Président*, et souvent, il ne revient pas avant trois heures. Il y a d'autres médecins ougandais qui travaillent en ville et ils aiment bien se retrouver. Leur déjeuner se prolonge parfois assez longtemps.

« Je ne donne jamais de rendez-vous entre deux et trois heures le vendredi, afin de lui laisser le temps de rentrer. Mais ce vendredi-là, le patient prévu pour trois heures est arrivé très en avance. C'était un monsieur qui travaillait au ministère de l'Eau, un homme très gentil qui fréquente l'église à côté de chez moi. Je le vois souvent passer le dimanche avec sa femme et son petit garçon. Leur chien les suit et il les attend devant l'église pendant toute la durée de l'office. C'est un chien très fidèle...

« Ce monsieur avait donc une demi-heure à attendre et il a commencé à bavarder avec moi. Il m'a dit qu'il s'inquiétait au sujet de sa tension : il faisait beaucoup d'efforts pour la faire baisser, mais le docteur affirmait qu'elle restait trop élevée. La porte du cabinet était ouverte et j'ai aperçu le tensiomètre posé sur le bureau. J'ai pensé qu'il n'y avait pas de mal à ce que je prenne la tension de ce patient, parce que cela m'intéressait et que j'avais envie de garder la main. Je le lui ai donc proposé, et il a tout de suite remonté la manche de son bras droit.

« J'ai fait gonfler la bande autour de son bras et j'ai observé le mercure. La tension était parfaitement normale. J'ai donc recommencé, et j'étais sur le point de dire au patient que tout était rentré dans l'ordre, quand une idée m'a traversé l'esprit : je me suis dit que, si je faisais cela, il expliquerait au docteur que je lui avais pris la tension et qu'elle était redevenue normale. J'ai eu peur que le docteur se mette en colère contre moi en apprenant que j'avais fait quelque chose sans sa permission. J'ai donc prétendu que je ne parvenais pas à comprendre les chiffres et j'ai reposé l'instrument sur le bureau avant le retour du médecin.

« Comme il n'y avait pas beaucoup de travail ce jour-là, j'ai entrepris de classer les dossiers des patients. De temps en temps, je fais cela pour m'assurer qu'ils sont bien dans l'ordre. Le docteur se met en colère s'il n'a pas tous les dossiers du jour sur son bureau quand les patients arrivent en consultation. Donc, j'ai rangé les dossiers et je suis tombée sur celui de l'homme qui était venu au rendez-vous de trois heures. Et j'ai remarqué que les dernières notes concernaient la consultation qu'il venait d'avoir.

Boitelo marqua un temps d'arrêt. Mma Ramotswe demeura immobile, tout comme Mma Makutsi. L'infirmière avait une façon de parler simple et directe et les deux femmes s'étaient laissé captiver par son récit.

— Je vois, dit Mma Ramotswe. Le dossier. Oui. Je vous en prie, continuez, Mma. C'est une histoire très intéressante.

Boitelo baissa la tête.

— Le docteur, déclara-t-elle, avait pris la tension et noté le résultat. Elle était très élevée.

Mma Ramotswe fronça les sourcils.

— Est-ce que la tension monte et descend comme cela, à quelques minutes d'intervalle ?

L'infirmière haussa les épaules.

— Cela peut arriver. Quand on est très excité, la tension peut monter d'un coup, mais cela ne paraît pas très probable, si ?

Ce fut à Mma Makutsi d'intervenir.

— Peut-être que l'appareil ne marchait pas bien, suggéra-t-elle. Ces machines compliquées, vous savez, il arrive qu'elles se détraquent.

Boitelo se tourna à demi pour s'adresser à elle.

— Ces appareils-là sont très simples, répondit-elle doucement. Ce ne sont pas des machines compliquées.

— Dans ce cas, il a pu y avoir une erreur, hasarda Mma Ramotswe. Est-ce que le médecin boit beaucoup quand il déjeune avec ses amis ?

— Il ne boit jamais, affirma Boitelo. Il dit qu'il n'aime pas le goût de l'alcool et qu'en plus c'est beaucoup trop cher. Il dit que l'eau coûte moins cher.

Un court silence s'installa, au cours duquel Mma Ramotswe et Mma Makutsi réfléchirent aux différentes possibilités. Ni l'une ni l'autre ne comprenaient très bien la signification de la mauvaise lecture – à supposer que ce fût bien de cela qu'il s'agissait. Cela semblait important, mais pourquoi ? Les médecins commettaient souvent des erreurs, comme tout le monde, alors pourquoi l'infirmière semblait-elle bouleversée ? Le plus important, sans doute, était encore à venir, et Boitelo reprit son récit, en effet.

— J'étais très perplexe, expliqua-t-elle. Comme vous l'avez dit, cela pouvait être une erreur, mais il y avait tout de même quelque chose qui m'amenait à me poser des questions. Cela paraissait bizarre que le médecin tienne tant à ce que je ne prenne jamais la tension des patients, et puis qu'il commette lui-même une erreur aussi grossière. J'ai donc décidé de mener ma petite enquête. J'ai une amie qui est aussi infirmière. Elle travaille dans une clinique et elle m'avait dit un jour qu'il y avait là-bas du vieux matériel qui ne servait plus et que l'on conservait dans un placard. Je lui ai demandé s'il y avait un tensiomètre et elle m'a promis de vérifier. Lorsqu'elle m'a dit qu'elle en avait trouvé un, j'ai demandé à l'emprunter quelques semaines. Elle a été surprise, mais elle a accepté.

« J'ai caché le tensiomètre dans le tiroir de mon bureau, et puis, j'ai attendu qu'une occasion se présente.

Je lisais tous les dossiers à présent, et chaque fois que je les sortais pour le docteur, je regardais s'il s'agissait d'un cas de tension élevée. En fait, il y en avait beaucoup et cela me paraissait bizarre. Tous ces patients prenaient le même médicament, un produit assez cher. C'est au cabinet même qu'ils l'achètent.

Mma Ramotswe se redressa et manqua de renverser sa tasse.

— Maintenant, Mma, s'exclama-t-elle, je crois savoir ce qui se passe ! Le médecin fournit aux patients des résultats erronés. Il leur dit qu'ils ont beaucoup de tension alors qu'en fait ce n'est pas vrai. Et il leur vend un médicament très onéreux. Ce doit être une affaire juteuse pour lui.

Boitelo la dévisagea.

— Non, Mma, rétorqua-t-elle, catégorique. Ce n'est pas ce qui se passe.

— Alors pourquoi a-t-il noté un mauvais résultat ? Pourquoi a-t-il fait ça ?

— Il a dû se tromper pour de bon, affirma Boitelo.

Mma Ramotswe poussa un soupir.

— Mais vous avez dit vous-même que vous aviez des soupçons ! Vous ne pensiez pas qu'il s'agissait d'une erreur !

Boitelo acquiesça.

— C'est vrai, dit-elle. Vous avez raison, Mma. Je n'y croyais pas. Mais maintenant, si. Voyez-vous, j'ai fait deux autres essais. Dans chaque cas, j'ai attendu que le médecin soit occupé avec un patient pour prendre, en salle d'attente, la tension d'une personne dont la fiche indiquait une tension élevée. Ensuite, j'ai comparé les résultats obtenus avec ceux que le docteur a notés dans le dossier plus tard.

— Et alors ?

— Eh bien, c'étaient les mêmes.

Mma Ramotswe réfléchit quelques instants. Elle n'était pas statisticienne, mais elle avait lu Clovis

Andersen sur le sujet des occurrences exceptionnelles. *Qu'une chose se produise une fois,* écrivait l'auteur des *Principes de l'investigation privée, ne signifie pas qu'elle se reproduira. N'oubliez pas que certains événements sont de pures exceptions. Des hasards extraordinaires. Des coïncidences. Ne fondez pas toute une théorie là-dessus.* En règle générale, Clovis Andersen ne se trompait pas, mais s'il disait vrai dans ce cas particulier, c'est qu'il ne se passait, en fait, rien d'anormal. Mais alors, pourquoi Boitelo était-elle venue ?

— Vous vous demandez sans doute ce qui s'est passé, déclara Boitelo.

— En effet, Mma, répondit Mma Ramotswe. Je ne suis plus sûre de bien comprendre. Je le croyais, mais à présent…

— Eh bien, je vais vous expliquer. Je vais vous expliquer ce qui s'est passé. L'un de nos patients a eu une attaque. Ce n'était pas très grave, et il s'en est très bien remis. Mais il a eu une attaque. Et il était l'un de ceux qui avaient une tension élevée.

Mma Ramotswe hocha la tête.

— J'ai entendu dire que c'est le risque quand on a beaucoup de tension.

Elle remua sur sa chaise. C'était pour cette raison que le médecin lui avait demandé de perdre du poids. Il lui avait parlé des problèmes cardiaques et des attaques, et ses explications l'avaient mise très mal à l'aise. Quel intérêt pour un docteur de mettre les gens mal à l'aise ? s'était-elle demandé. Les docteurs étaient là pour rassurer, au contraire, et c'était précisément leurs paroles réconfortantes qui faisaient que l'on se sentait mieux. Tout le monde savait cela.

— Oui, poursuivit Boitelo. Une tension élevée peut provoquer des attaques. Et ce patient s'est retrouvé à l'hôpital pendant quelques jours. Je ne pense pas qu'il ait été en réel danger, mais le docteur semblait très nerveux. Il m'a demandé de lui sortir le dossier du patient en question et il l'a conservé quelque temps avec lui. Et puis, il me l'a rendu pour que je le remette à sa place.

— Alors vous l'avez regardé ? interrogea Mma Makutsi.

Boitelo sourit.

— Oui, Mma. J'étais curieuse. Je l'ai regardé.

— Et y avait-il quelque chose d'anormal ? demanda Mma Ramotswe.

Boitelo répondit avec lenteur, consciente, sans doute, de l'effet dramatique que produisaient ses paroles.

— J'ai découvert que les chiffres avaient été modifiés.

Une grosse mouche atterrit sur le bureau. Mma Ramotswe la regarda progresser vers le bord. L'insecte hésita, puis reprit son envol avec un bourdonnement à peine audible. Boitelo, qui l'avait regardé elle aussi, le balaya d'un geste devenu inefficace.

— Il les avait gommés ? s'enquit Mma Ramotswe. Il restait des traces sur la fiche ?

— Non, répondit Boitelo. Rien. Il avait dû faire cela avec beaucoup de soin.

— Alors comment le savez-vous ? la défia Mma Makutsi. Comment pouvez-vous dire qu'il a modifié les chiffres ?

Boitelo sourit.

— Parce que ce patient est l'un de ceux dont j'avais pris la tension en salle d'attente, pendant que le docteur était occupé. Précisément. Et j'avais noté les résultats sur un papier que je gardais dans mon tiroir. Je me souvenais d'avoir comparé ces chiffres avec ceux que le docteur avait inscrits ce jour-là et ils étaient identiques. Mais là, les chiffres avaient été modifiés. Un résultat élevé avait été remplacé par un résultat normal.

Boitelo s'adossa à sa chaise et contempla Mma Ramotswe.

— Je pense, Mma, dit-elle, je pense que ce docteur fait quelque chose de très malhonnête. Je suis allée voir quelqu'un du ministère de la Santé pour lui expliquer tout cela. Mais il m'a dit que je n'avais aucune preuve. En fait, je ne crois pas qu'il m'ait crue. Il m'a raconté que, de temps en temps, ils reçoivent des plaintes d'infirmières qui n'aiment pas le médecin pour lequel elles travaillent. Il m'a dit qu'ils étaient obligés de se méfier, et que si je ne revenais pas avec quelque chose de plus concret, je ferais bien de ne pas raconter n'importe quoi.

Elle dévisagea Mma Ramotswe, sur la défensive, comme si elle craignait de la voir traiter son histoire par le mépris. Mais ce n'était pas le cas. Mma Ramotswe était occupée à noter quelque chose sur une feuille de papier et elle n'eut aucune réaction lorsque Boitelo lui expliqua qu'elle était venue soumettre cette affaire à l'attention de l'Agence N° 1 des Dames Détectives par devoir civique et que, dans ces circonstances, elle espérait qu'elle n'aurait rien à payer, d'autant que, de toute façon, elle n'en avait pas les moyens.

CHAPITRE XIII

Les chaussures bleues

Quitter l'agence cet après-midi-là n'était pas très raisonnable, Mma Ramotswe le savait. Elle avait désormais plus de travail qu'il n'en fallait et aucun des problèmes qui avaient atterri sur son bureau ne semblait devoir trouver de réponse. Il y avait une série d'énigmes qui demandaient toutes à être résolues, mais qui, étrangement, paraissaient réfractaires à une solution. Il y avait la réserve de Mokolodi, pour laquelle, tôt ou tard, il faudrait faire quelque chose. Il y avait Mma Tsau et la lettre du maître chanteur. Il y avait la question de l'oncle de Mr. Polopetsi et du favoritisme qu'il manifestait à l'égard du frère de celui-ci, à qui il avait permis d'acheter une voiture. Elle s'arrêta sur ce cas précis ; non, elle ne pouvait rien faire, du moins pour le moment. Le monde était imparfait et les récriminations, trop nombreuses. Un jour, peut-être, mais pas maintenant. On pouvait donc rayer ce problème de la liste. Restait encore une difficulté, la plus délicate, bien sûr : le docteur. Elle admirait Boitelo, qui avait pris la peine de venir la voir. Beaucoup d'autres auraient baissé les bras en s'apercevant qu'elles n'avaient pas le pouvoir de rétablir le bien, mais Boitelo, elle, était venue lui soumettre le problème. Et elle avait eu raison, pensait Mma Ramotswe, de parler de devoir civique, car il était de son devoir de ne pas fermer les yeux face à ces escroqueries médicales. Et il était à présent du devoir de Mma Ramotswe de faire quelque chose. Mais quoi ? Trouver une réponse à cette question n'était pas aisé, aussi Mma Ramotswe, comme souvent dans de telles circonstances, décida-t-elle d'aller faire des courses. Elle s'était aperçue que les idées lui venaient lorsqu'elle faisait ses courses, au milieu du rayon légumes du supermarché ou en essayant une jupe – inévitablement trop juste – et une situation qui se présentait au départ comme un sac de nœuds commençait alors à se démêler peu à peu.

— Mma Makutsi, nous allons faire des courses ! annonça-t-elle lorsque Boitelo fut partie. Je vous emmène en ville.

Mma Makutsi leva les yeux de son bureau. Elle travaillait sur une affaire assez complexe, pour le compte d'un cabinet d'avocats à la poursuite d'un créancier. Celui-ci, un certain Mr. Cedric Disani, avait ouvert un hôtel et fait une faillite spectaculaire. On le soupçonnait toutefois de posséder de nombreux avoirs fonciers et les deux détectives disposaient d'une liste du cadastre pour tenter de tirer au clair quelles propriétés appartenaient à des compagnies dans lesquelles cet homme détenait des intérêts. C'était l'une des affaires les plus délicates que Mma Makutsi se soit jamais vu confier, mais au moins, il y avait à la clé des honoraires – des honoraires généreux – qui compenseraient toutes les missions d'utilité publique dont Mma Ramotswe avait cru bon de se charger.

— Oui, oui, insista Mma Ramotswe. Vous pouvez laisser cette liste de côté pour l'instant. Cela nous fera du bien à toutes les deux d'aller en ville faire les magasins. Et il nous viendra peut-être des idées là-bas. Je trouve que le shopping fait du bien à la tête, pas vous, Mma ?

— Mais pas au compte en banque ! plaisanta Mma Makutsi en refermant le dossier posé devant elle. Ce Mr. Cedric Disani a dû faire pas mal de shopping : il n'y a qu'à voir combien d'argent il doit…

— Tiens, j'ai connu une dame qui portait le même nom, lança Mma Ramotswe. Elle était toujours à la mode. On la voyait partout dans des tenues très coûteuses. C'était une femme frivole.

— Ce doit être son épouse, répondit Mma Makutsi. Les avocats m'ont parlé d'elle. Ils m'ont dit que Mr. Disani mettait tout à son nom à elle, pour que ses créanciers ne puissent pas y toucher. Elle circule en Mercedes-Benz et porte des vêtements de grandes marques.

Mma Ramotswe eut une moue désapprobatrice.

— Ah, ces Mercedes-Benz… Avez-vous remarqué que, chaque fois que nous en rencontrons dans notre travail, elles sont conduites par le même genre d'individus ? L'avez-vous remarqué, Mma ?

Mma Makutsi répondit que oui.

— Jamais je n'achèterais une Mercedes-Benz ! ajouta-t-elle. Même si j'en avais les moyens. Ce sont de très belles voitures, mais cela ferait jaser.

Mma Ramotswe, qui avait presque atteint la porte d'entrée, s'immobilisa à ces mots et considéra Mma Makutsi.

— Vous avez dit *Même si j'en avais les moyens*, Mma. Vous vous en êtes aperçue ?

Mma Makutsi lui rendit son regard sans comprendre.

— Oui, acquiesça-t-elle, c'est ce que j'ai dit.

— Mais, Mma, reprit Mma Ramotswe, vous ne vous rendez pas compte qu'à présent vous pourriez avoir une Mercedes-Benz si vous en aviez envie ? N'oubliez pas que vous allez vous marier. Phuti Radiphuti est très à l'aise, avec ce Magasin des Meubles Double Confort qui lui appartient. Oui, très à l'aise… Non que j'aime beaucoup les meubles qu'il vend là-bas… Je suis désolée de vous dire cela, Mma, mais ce n'est pas du tout mon style.

Mma Makutsi dévisagea Mma Ramotswe et déglutit avec difficulté. Elle n'avait pas songé un seul instant que Mr. J.L.B. Matekoni omettrait d'informer sa femme de l'achat du fauteuil, mais elle constatait à présent que c'était bel et bien le cas. Et lorsqu'il finirait par le lui avouer, il lui révélerait sans aucun doute que c'était elle, Mma Makutsi, qui l'avait emmené au magasin et poussé à faire cette acquisition. Elle se demanda si elle ne devait pas en parler elle-même à Mma Ramotswe : fallait-il crever l'abcès tout de suite, ou laisser les choses suivre leur cours naturel ?

— Vous n'achèteriez jamais un fauteuil là-bas ? interrogea-t-elle innocemment. Même s'il était en solde ? Par exemple, à cinquante pour cent ?

Mma Ramotswe sourit.

— Pas même à quatre-vingt-dix-sept pour cent, Mma. Non. Je suis sûre que ces meubles sont de très bonne qualité, mais ils ne sont pas pour moi.

Ni pour Mr. J.L.B. Matekoni, songea Mma Makutsi, chagrine. Cependant, qu'est-ce que c'était que cette histoire de Mercedes-Benz ? Pourquoi Mma Ramotswe pensait-elle qu'elle pourrait s'en acheter une ? C'était inconcevable… et pourtant, c'est vrai que Phuti était riche. Peut-être devrait-elle se faire à l'idée qu'elle allait devenir l'épouse d'un homme qui, sans être milliardaire, n'en était pas moins prospère. Comme cela paraissait étrange ! Phuti Radiphuti, si modeste et si discret, avait sans aucun doute les moyens de mener grand train s'il le décidait…

— Quand nous nous marierons, Phuti et moi, affirma-t-elle, nous ne ferons pas étalage de notre argent. Nous ne changerons pas. Nous sommes comme ça et nous le resterons.

— C'est très bien, approuva Mma Ramotswe. Ce n'est pas dans la tradition du Botswana d'en mettre plein la vue. Ici, on a toujours apprécié le calme et la discrétion. Quelqu'un de bien, c'est quelqu'un qui ne fait pas de bruit. Regardez Mr. J.L.B. Matekoni, par exemple : c'est à la fois un homme calme et un grand homme, comme bien des garagistes et des gens qui travaillent de leurs mains. Et il y en a beaucoup comme lui en Afrique : des hommes dont l'existence est faite de labeur et de souffrance, mais qui n'en restent pas moins de grands hommes.

Mma Ramotswe ferma la porte de l'agence derrière elle et dit au revoir à Mr. J.L.B. Matekoni. Penché sur un moteur, celui-ci donnait des explications aux apprentis, qui se redressèrent et regardèrent les deux femmes.

— Nous allons faire du shopping ! leur lança Mma Makutsi d'un ton railleur. Les femmes adorent ça, vous savez. Elles préfèrent de loin faire les boutiques que sortir avec des hommes. C'est bien connu.

Le plus jeune des apprentis émit une exclamation de protestation.

— C'est un mensonge ! hurla-t-il. Patron, vous avez entendu comme cette femme est menteuse ! On ne peut pas garder une détective qui ment, Mma Ramotswe. Il faut la renvoyer tout de suite, elle et ses grosses lunettes. Virez-la !

— Chut ! intima Mr. J.L.B. Matekoni. Nous avons du travail. Laissez les dames aller faire des courses, si cela peut leur faire du bien !

— Oui, approuva Mma Ramotswe en montant dans la petite fourgonnette blanche. Cela nous fait beaucoup de bien.

Elles descendirent Tlokweng Road jusqu'au rond-point, toujours très encombré. Sur le bord de la route, des marchands ambulants vendaient des tabourets et des chaises en bois et, sur un grand brasero, une femme faisait griller des épis de maïs. L'odeur du maïs, cette odeur aigre-douce que Mma Ramotswe connaissait depuis toujours et qui parlait si bien des routes africaines, s'introduisit par la vitre de la petite fourgonnette blanche et, l'espace d'un instant, Mma Ramotswe eut l'impression d'être revenue à Mochudi, à l'époque où, petite fille, elle attendait près du feu qu'on lui tende un épi grillé. Elle se revoyait, bien des années auparavant, en retrait du brasier, mais avec l'odeur de brûlé qui venait malgré tout caresser ses narines. Elle mordait dans le succulent épi en pensant que c'était là l'aliment le plus parfait que la terre ait à offrir. Et elle pensait encore la même chose à présent, après tout ce temps passé, et sentait son cœur s'emplir d'amour pour cette Afrique qu'elle avait connue jadis, notre mère, songeait-elle, notre mère qui reste toujours avec nous pour veiller à nos besoins, nous nourrir, puis nous ramener, en fin de compte, dans ses entrailles.

Elles franchirent le rond-point et s'engagèrent dans la rue commerçante très animée, enfilades de boutiques qui avaient surgi non loin du mont Kgale. Elle n'aimait pas ces magasins, qui étaient laids et noirs de monde, mais il fallait reconnaître qu'il y avait du choix et que l'on trouvait là des marchandises de meilleure qualité que dans tout autre quartier commerçant du pays. Les deux femmes s'accommoderaient donc de la foule et du vacarme pour voir ce que les boutiques proposaient. Et elles ne feraient pas seulement du lèche-vitrines : Mma Ramotswe se promettait depuis longtemps d'acheter une cocotte-minute et Mr. J.L.B. Matekoni l'avait pressée d'en faire l'acquisition. Elles pourraient donc en chercher une, et même si elles ne l'achetaient pas ce jour-là, il serait intéressant de voir les différents modèles proposés.

Elles passèrent une agréable demi-heure à fureter dans un magasin spécialisé en équipement de cuisine.

Il y avait un choix impressionnant d'ustensiles : des couteaux et des planches à découper, ainsi qu'un instrument pour trancher les oignons en leur donnant toutes sortes de formes.

— Je n'ai jamais eu besoin de ce genre de choses pour couper mes oignons, fit observer Mma Ramotswe. Un simple couteau me suffit amplement.

Mma Makutsi lui signifia son approbation, mais se promit de retenir le nom de l'ustensile en question. Quand Phuti Radiphuti lui donnerait de l'argent pour rééquiper sa cuisine, comme il le lui avait promis, elle ne manquerait pas d'acheter l'un de ces tranche-oignons, même si Mma Ramotswe affirmait qu'ils ne servaient à rien. Mma Ramotswe faisait sûrement très bien la cuisine, mais elle n'était pas experte en oignons, et si quelqu'un avait jugé utile d'inventer un tranche-oignons comme celui-ci, cela signifiait forcément qu'il répondait à un besoin.

Elles quittèrent le magasin après avoir repéré une cocotte-minute et noté son prix.

— Nous allons chercher un autre magasin qui en vend, décida Mma Ramotswe, puis nous comparerons les prix. Il ne faut pas gaspiller l'argent. Seretse Khama le disait lui-même, vous savez. Il disait qu'il ne faut pas gaspiller l'argent.

Mma Makutsi ne se hasarda pas à répondre. Mma Ramotswe avait pour habitude de citer Seretse Khama sur une vaste série de sujets, et l'assistante n'était pas du tout certaine que sa patronne se montrât très précise dans ce domaine. Elle lui avait un jour demandé de spécifier le chapitre et le verset d'une citation particulière et s'était vue mise au défi : « Croyez-vous que j'invente ses paroles ? lui avait demandé Mma Ramotswe avec indignation. Ce n'est pas parce que les gens commencent à oublier ce qu'il a dit que je l'oublie moi aussi ! »

Mma Makutsi n'avait pas insisté et, désormais, elle se gardait de commenter les citations du défunt président. Après tout, pensait-elle, il ne s'agissait pas d'une habitude bien méchante, et si elle contribuait à perpétuer la mémoire de ce grand homme, c'était une bonne chose. Néanmoins, elle aurait bien aimé que Mma Ramotswe fît preuve d'un peu plus de précision historique ; juste un peu plus. Le problème, c'est qu'elle n'avait pas reçu la formation de l'Institut de secrétariat du Botswana, dont la devise, inscrite fièrement au fronton de l'école, était : *Soyez Précis*. Malheureusement, une faute d'orthographe s'y était glissée et l'on pouvait lire : *Soyez Precis*. Mma Makutsi l'avait remarqué et en avait parlé à la direction, mais, jusqu'à présent, rien n'avait été fait.

Elles marchèrent ensemble en direction d'un autre magasin que Mma Ramotswe avait identifié comme un possible pourvoyeur de cocottes-minute. Autour d'elles se pressait une foule élégante, des gens qui avaient de l'argent en poche et qui venaient là pour meubler des maisons qui commençaient peu à peu à refléter la prospérité du Botswana. Cet argent, jusqu'au dernier pula, ils l'avaient gagné à la sueur de leur front, dans un monde de négociants égoïstes venus de loin, qui achetaient les récoltes à des prix planchers et fixaient eux-mêmes les règles. Tout cela s'accompagnait de beaux discours, bien sûr, dont beaucoup étaient prononcés en Afrique, mais à la fin de la journée, les pauvres, ceux qui vivaient sur ce continent, se retrouvaient les mains vides. Non parce qu'ils ne travaillaient pas assez dur – bien au contraire –, mais à cause d'un problème fondamental qui faisait que, pour eux, tout se révélait difficile, quels que fussent leur volonté et leur courage. Le Botswana, lui, avait la chance de posséder des diamants et un bon gouvernement, et Mma Ramotswe en avait conscience. Toutefois, cette fierté ne l'empêchait pas de penser aux souffrances des autres, qui étaient là, tout près, des souffrances qui faisaient que les mères voyaient leurs enfants rachitiques dépérir sous leurs yeux. On ne pouvait oublier cela, même au milieu de toute cette abondance. On ne pouvait pas l'oublier.

Mma Makutsi venait de s'arrêter net. Elle saisit Mma Ramotswe par le bras et, sans un mot, désigna une vitrine. Une femme était en train d'en admirer l'étalage, une femme vêtue d'une robe bleue à rayures, et Mma Ramotswe crut que c'était elle qui attirait l'attention de son assistante. Peut-être s'agissait-il d'une cliente ou d'une personne qui, d'une manière ou d'une autre, avait eu un lien avec l'Agence N° 1 des Dames Détectives, l'une de ces femmes adultères que les hommes leur demandaient parfois de prendre en filature. Cependant, lorsque la femme quitta la vitrine et s'éloigna, Mma Ramotswe comprit que c'était l'étalage que Mma Makutsi désignait.

— Regardez, Mma Ramotswe, articula l'assistante. Regardez, là !

Mma Ramotswe suivit son regard. De nombreuses chaussures étaient en solde, indiquait un panneau, avec des réductions considérables. Plus encore, clamait l'affiche, le patron de la boutique avait été pris de folie !

— De bonnes affaires, affirma Mma Ramotswe, on en trouve toujours.

Mais ce n'étaient pas les articles en promotion qui retenaient l'attention de Mma Makutsi ; c'étaient les chaussures vendues au prix fort, disposées sur une étagère particulière et étiquetées *Modèles chics, portés à Londres et à New York.*

— Vous avez vu cette paire, là ? interrogea Mma Makutsi en montrant la vitrine. Vous l'avez vue ? La bleue ?

Le regard de Mma Ramotswe suivit la direction que désignait l'index impérieux. Un peu à l'écart des modèles de luxe, mais toujours dans la catégorie *chic*, se trouvait une paire de souliers élégants, dotés de hauts talons délicats et qui se terminaient en pointe, comme l'avant d'un avion supersonique. Il était difficile de distinguer la doublure de l'endroit où les deux femmes se tenaient, mais en se haussant sur la pointe des pieds et en tendant le cou, Mma Makutsi fut en mesure d'en indiquer la couleur.

— Intérieur rouge, souffla-t-elle avec émotion. Intérieur rouge, Mma Ramotswe !

Mma Ramotswe examina les chaussures. Elles étaient effectivement très jolies, du moins en tant qu'objets, mais on pouvait douter de leur utilité en tant que chaussures. Elle ne connaissait ni Londres ni New York et il était fort possible que, dans ces villes, les gens portent des chaussures très élégantes ; néanmoins, elle se refusait à croire que de nombreuses personnes soient en mesure de chausser ce genre de souliers, et encore moins de parcourir ne serait-ce que quelques mètres avec cela aux pieds.

Elle jeta un coup d'œil à Mma Makutsi, qui contemplait le modèle dans un état de semi-extase. Elle savait que son assistante portait beaucoup d'intêret aux chaussures et elle avait été témoin du plaisir intense que lui avait procuré sa dernière paire verte à doublure bleue. À l'époque, elle avait conçu quelque réserve à son sujet, se demandant si elle était réellement appropriée au rôle qui lui revenait, mais à présent, comparées à la paire exposée dans la vitrine, les chaussures vertes lui semblaient extrêmement pratiques. Elle retint son souffle. Mma Makutsi était adulte et en mesure de prendre soin d'elle-même, mais en tant qu'employeur, en tant que celle qui l'avait amenée à la profession de détective privé, Mma Ramotswe se sentait un certain degré de responsabilité vis-à-vis de son assistante. Il lui revenait donc d'empêcher celle-ci de prendre de mauvaises décisions. Et la décision d'acquérir ces chaussures-là serait éminemment mauvaise. C'était le genre de décision que l'on ne pouvait souhaiter voir prendre par une amie.

— Ce sont de très belles chaussures, hasarda Mma Ramotswe avec prudence. La couleur est jolie, c'est incontestable, mais...

— Et la pointe ! l'interrompit Mma Makutsi. Regardez la forme de l'avant, mais regardez !

Et, sans perdre un instant le modèle des yeux, elle émit un long sifflement d'admiration.

— Mais personne n'a des orteils de cette forme-là, objecta Mma Ramotswe. Je n'ai jamais vu de femmes avec des pieds pointus. Si vos pieds étaient comme ça, vous n'auriez qu'un seul orteil.

Elle s'arrêta, ne sachant comment sa remarque serait prise. C'était difficile à prévoir.

— Peut-être que ces chaussures sont faites pour les femmes qui n'ont qu'un seul orteil, Mma, enchaîna-t-elle, joviale. Peut-être s'agit-il de modèles spécialisés ?

Elle rit de son propre commentaire, qui laissa Mma Makutsi de glace.

— Ça n'existe pas, des gens qui n'ont qu'un orteil, Mma, rétorqua cette dernière d'un ton désapprobateur. Ces chaussures sont magnifiques.

Confuse, Mma Ramotswe jugea bon de s'excuser.

— Je suis désolée, Mma. Je sais que vous n'aimez pas plaisanter à propos des chaussures.

Elle consulta sa montre.

— Bon, je crois que nous devrions y aller, maintenant. Nous avons encore beaucoup à faire.

Mma Makutsi continua de fixer intensément les chaussures.

— Je ne crois pas que nous ayons tant de choses à faire que ça, répliqua-t-elle. Nous avons tout le temps de regarder les casseroles et les marmites.

Il semblait à Mma Ramotswe que regarder les casseroles et les marmites, comme disait Mma Makutsi, était bien plus utile que fixer des chaussures bleues dans une vitrine, mais elle n'en dit rien. Si Mma Makutsi avait envie d'admirer des chaussures, elle n'allait pas lui gâcher son plaisir. C'était, après tout, une activité plutôt innocente, un peu comme regarder le ciel, peut-être, lorsque le soleil déclinait et donnait aux nuages une couleur orangée, ou regarder un troupeau de beau bétail se déplacer lentement dans la campagne lorsque les pluies avaient reverdi la terre. De temps en temps, notre esprit avait besoin de petits plaisirs comme ceux-là et elle patienterait donc jusqu'à ce que Mma Makutsi ait terminé d'examiner les chaussures sous tous les angles. Toutefois, un mot de mise en garde, peut-être, ne serait pas superflu, aussi Mma Ramotswe s'éclaircit-elle la gorge, avant de déclarer :

— Bien entendu, Mma, nous ne devons pas perdre de vue que nous avons des pieds de forme traditionnelle, et qu'il vaut donc mieux s'en tenir à des chaussures de forme traditionnelle.

L'espace d'un instant, malgré le bruit et l'animation qui entouraient les boutiques, un silence glacial plana. Mma Makutsi baissa les yeux sur les pieds de Mma Ramotswe. Elle vit les chaussures larges et plates à grosse boucle, qui ressemblaient un peu à celles que portait Mma Potokwane à la ferme des orphelins (quoique peut-être légèrement moins vilaines, tout de même). Puis elle jeta un coup d'œil à ses propres pieds. Il n'y avait aucune comparaison possible. Ce fut à cet instant qu'elle résolut d'acheter les chaussures bleues. Il fallait qu'elle les possède.

Elles pénétrèrent dans le magasin, Mma Makutsi devant, Mma Ramotswe à sa suite, passive. Durant la transaction qui s'ensuivit, cette dernière demeura silencieuse. Elle regarda Mma Makutsi désigner la vitrine. Elle regarda la vendeuse prendre une boîte sur une étagère et en sortir une paire de chaussures bleues. Elle ne dit rien quand Mma Makutsi, assise sur un tabouret, tendit le pied pour le faire entrer dans l'une d'elles, encouragée par la vendeuse, qui le poussa et l'enfonça avec vigueur. Et elle demeura silencieuse lorsque Mma Makutsi sortit son porte-monnaie et paya l'acompte nécessaire pour faire mettre la boîte de côté, étalant sur le comptoir les précieux billets de la Banque du Botswana péniblement gagnés, des billets illustrés de ce bétail que le peuple du Botswana, au fond de son cœur, considérait comme le vrai fondement de la richesse du pays.

En sortant de la boutique, Mma Ramotswe fit amende honorable et affirma qu'elle trouvait les chaussures superbes. Il ne servait à rien de marquer sa désapprobation une fois l'achat réalisé. Elle se souvenait d'avoir appris cette leçon de son père, le défunt Obed Ramotswe, auquel elle pensait tous les jours, oui, tous les jours, et qui avait été, elle n'en doutait pas, l'un des meilleurs hommes du Botswana. Un jour qu'un habitant de Mochudi lui demandait son avis sur un taureau qu'il venait d'acquérir – un taureau dont Obed avait confié à Precious qu'il ne serait pas bon pour le troupeau, car trop paresseux, un taureau qui dirait souvent aux vaches qu'il était trop fatigué –, bien qu'il fût de cet avis, donc, il n'en avait rien dit au propriétaire.

— Ce taureau ne te causera pas d'ennuis, avait-il simplement commenté.

Et c'était exactement, pensait-elle, ce qu'il convenait de déclarer à propos de ce taureau-là. Mais pouvait-elle en dire autant des nouvelles chaussures de Mma Makutsi ? Non, bien sûr. Car elles allaient lui causer beaucoup d'ennuis, cela ne faisait pas l'ombre d'un doute… dès l'instant où elle tenterait de marcher avec. Cela, pensait Mma Ramotswe, était absolument évident.

CHAPITRE XIV

Au dîner

Ce soir-là, Mr. Polopetsi dîna de bonne heure, juste
après son retour du Tlokweng Road Speedy Motors.
Il avait passé un après-midi difficile, car il avait dû
changer des pneus sur un gros fourgon à bétail que
possédait un fidèle ami de Mr. J.L.B. Matekoni. Ce
client, propriétaire de tout un parc de bétaillères
comme celle-là, aurait pu confier ses véhicules à un
grand garage spécialisé, mais il préférait laisser son
vieil ami les entretenir. Avec le développement de
son entreprise de transport de bétail, cette collabora-
tion était devenue de plus en plus fructueuse et elle
rapportait désormais près d'un huitième du chiffre
d'affaires du Tlokweng Road Speedy Motors.

Changer les pneus de ces énormes véhicules représentait un travail très physique et Mr. Polopetsi, de
constitution plutôt chétive, constatait que cela éprouvait gravement ses forces. Toutefois, ce n'était pas la
fatigue qui l'avait incité à demander de dîner tôt. Il y
avait à cela une tout autre raison.

— J'ai un travail à effectuer ce soir, annonça-t-il à
sa femme d'un air mystérieux. Un travail pour
l'agence.

Mma Polopetsi haussa les sourcils.

— C'est Mma Ramotswe qui te demande de faire des heures supplémentaires ? s'enquit-elle. Est-ce qu'elle va te payer, au moins ?

— Non, répondit-il. Elle ne sait rien. Je vais faire ce travail en cachette.

Mma Polopetsi tourna la cuillère en bois dans la marmite de farine de maïs.

— Je vois, dit-elle. Mais tu ne fais rien d'illégal, hein ?

Elle se souvenait du séjour de son mari en prison – pouvait-on oublier pareille période de solitude et de honte ? – et n'avait manifesté aucun enthousiasme en apprenant qu'une agence de détectives l'avait engagé : avec ce genre de métier, estimait-elle, les choses pouvaient vite mal tourner. Cependant, tout ce qu'elle savait désormais de Mma Ramotswe lui inspirait confiance et elle partageait la gratitude de son mari envers une personne qu'elle considérait comme le sauveur de la famille.

Mr. Polopetsi hésita un instant, puis secoua la tête.

— Ce n'est pas illégal, affirma-t-il. Et la seule raison pour laquelle je n'en ai pas parlé à Mma Ramotswe, c'est qu'il s'agit d'un problème qui lui cause beaucoup de souci. J'ai découvert ce qui se passe et je vais tout arranger. Je veux lui faire une belle surprise.

La surprise, comme il l'appelait, avait nécessité un travail de préparation, ainsi que la coopération d'un voisin et ami, David, qui possédait un vieux taxi dont il se servait pour transporter des employés de bureau, à partir d'un emplacement de parking situé sous un arbre près du Mall, au centre-ville, jusqu'à leur domicile. David devait une faveur à Mr. Polopetsi à la suite d'une dispute qui avait éclaté entre plusieurs voisins au sujet d'une chèvre. Mr. Polopetsi l'avait soutenu et lui avait permis d'obtenir gain de cause, et cela avait cimenté l'amitié qui les unissait. Ainsi, lorsque Mr. Polopetsi lui avait demandé de le conduire à Mokolodi et de l'aider à accomplir une certaine tâche là-bas, David avait-il accepté sans hésiter.

Ils se mirent en route peu après sept heures. En ville, il y avait encore beaucoup de monde et la circulation restait dense, mais dès l'instant où ils passèrent les dernières lumières de Gaborone et distinguèrent la silhouette sombre du mont Kgale, sur le côté, il leur fut difficile d'imaginer qu'il pût y avoir du monde derrière eux. Certes, il leur arrivait de croiser une voiture occasionnelle sur la route de Lobatse, mais en dehors de ces rares événements, on ne voyait rien d'autre que l'ombre des acacias, qui se découpaient brièvement dans les phares, de part et d'autre de la route, pour se laisser aussitôt engloutir par la nuit. Mr. Polopetsi n'avait pas encore précisé à son ami la nature précise de leur mission ; il était temps de le faire à présent.

— Tu n'as pas besoin de m'accompagner, assura-t-il en conclusion. Contente-toi de garer la voiture à côté et de m'attendre ; je m'occuperai de tout.

David fixait la route devant lui.

— Cette histoire ne me plaît pas beaucoup, commenta-t-il. Tu aurais pu m'expliquer avant.

— Il n'y a rien à craindre, affirma Mr. Polopetsi. Tu n'es pas superstitieux, tout de même ?

C'était un défi qu'il lui lançait, et David n'avait guère le choix dans sa réponse.

— Je ne crains pas ces choses-là, non.

Ils atteignirent l'embranchement pour Mokolodi et David engagea son taxi sur la route de la réserve. Sur un côté se dressait un petit groupe de maisons avec quelques lumières allumées, mais pour le reste, tout était sombre. Au bout d'un moment, Mr. Polopetsi tapota l'épaule de son ami et le pria d'éteindre ses phares.

— À partir de maintenant, nous allons avancer tout doucement, décréta-t-il. Là-bas, tu pourras te garer sous un arbre et tu n'auras plus qu'à m'attendre. Personne ne te verra.

Ils s'arrêtèrent et le moteur fut coupé. Mr. Polopetsi sortit du véhicule et referma délicatement la portière derrière lui. Tout était silencieux et l'on ne percevait que le bourdonnement des insectes, murmure persistant qui semblait provenir de nulle part et de partout à la fois. Un son curieux : celui des astres qui rappelaient leurs chiens de chasse, affirmaient certains. Il leva les yeux. C'était une nuit sans lune et des milliers d'étoiles brillaient, si hautes et blanches que l'on eût dit une immense couverture ondulant au-dessus de lui. Il se retourna pour chercher le sud et la découvrit, très bas dans le ciel, comme suspendue à un fil invisible : la Croix du Sud. La nuit, par la fenêtre de la prison, il voyait toujours cette constellation depuis la planche agrémentée de couvertures qui lui servait de lit et, d'une étrange façon, elle l'avait soutenu. On l'avait injustement emprisonné ; il n'était pas responsable du drame qui s'était produit, et la vue des étoiles lui rappelait la petitesse du monde des hommes et leurs iniquités.

Il se dirigea vers un point de la clôture situé près de l'entrée principale, écarta les fils de fer et se glissa à l'intérieur. À sa droite, il apercevait de la lumière dans les logements du personnel, carrés jaunes brillant dans le noir. Il s'immobilisa et attendit, afin de s'assurer que nul ne se trouvait à proximité : une chaude soirée comme celle-ci pouvait inciter les gens à s'installer devant leurs maisons, mais cette nuit-là, il n'y avait personne. Mr. Polopetsi avança. Il savait exactement ce qu'il devait faire et espérait qu'il n'y aurait pas de bruit. Car, dans le cas contraire, il lui faudrait fuir dans le bush, puis rester plaqué au sol en attendant que tout danger soit écarté. Mais avec le sac qu'il tenait à la main, il n'y avait aucune raison que les choses ne se déroulent pas en silence, et rapidement. Et le lendemain matin, les gens constateraient ce qui s'était passé et ce serait le grand sujet de conversation, mais la peur, cette terrible angoisse qu'ils avaient ressentie, aurait disparu. Tout le monde serait satisfait – tout le monde –, même si l'on ne pourrait lui en être reconnaissant, dans la mesure où il agissait dans le plus grand secret. Mais Mma Ramotswe, elle, le remercierait, il n'en doutait pas.

Il se trouvait que, à l'instant précis où Mr. Polopetsi progressait dans l'obscurité en imaginant la gratitude de son employeur, Mma Ramotswe était installée avec Mr. J.L.B. Matekoni à la table du dîner et tous deux venaient justement d'avoir une courte conversation au sujet de Mr. Polopetsi et de l'excellent travail qu'il accomplissait au garage. Leurs enfants adoptifs, Motholeli et Puso, étaient assis à leur place, fixant intensément la marmite de ragoût qu'elle servirait bientôt. À un signal de Mr. J.L.B. Matekoni, ils joignirent les mains et fermèrent les yeux.

— Nous sommes reconnaissants pour cette nourriture qui a été préparée pour nous, déclara Mr. J.L.B. Matekoni. Amen.

L'action de grâces terminée, les enfants rouvrirent les yeux et regardèrent Mma Ramotswe remplir les assiettes.

— Je n'ai jamais vu cet oncle, lança Motholeli. Qui est-ce ?

— C'est quelqu'un qui travaille au garage, expliqua Mma Ramotswe. C'est un très bon mécanicien, comme toi, Motholeli.

— Il n'est pas mécanicien, rectifia Mr. J.L.B. Matekoni. Un mécanicien est quelqu'un qui a reçu une véritable formation. On n'est pas mécanicien tant que l'on n'a pas suivi une période d'apprentissage.

En prononçant ce dernier mot, il parut soudain s'assombrir et, pendant quelques instants, contempla son assiette d'un air mécontent. L'image des deux apprentis avait surgi à son esprit et, en règle générale, il n'aimait pas trop penser à eux. Il n'était pas certain qu'ils termineraient un jour leur apprentissage, car l'un et l'autre avaient raté l'examen de fin d'année d'un des cours qu'ils avaient suivis et il leur faudrait redoubler. À les entendre, les raisons de leur échec tenaient à un mélange de copies et à l'ambiguïté d'une certaine question concernant les systèmes Diesel. Mr. J.L.B. Matekoni les avait contemplés avec commisération : croyaient-ils vraiment qu'il allait avaler une telle histoire ? Non, mieux valait ne pas trop penser à ces deux-là une fois que l'on avait quitté le garage.

— Ce que je voulais dire, précisa Mma Ramotswe, c'est qu'il se débrouille bien avec les voitures. Et il se débrouille également très bien comme détective.

— Mais est-il vraiment détective ? interrogea Mr. J.L.B. Matekoni en piquant une pièce de viande avec sa fourchette. On ne peut pas s'intituler détective comme cela ! Il doit bien y avoir une formation à…

Il s'interrompit. Mma Ramotswe n'avait suivi aucune formation, bien sûr, quoiqu'elle ait lu *Les Principes de l'investigation privée* de Clovis Andersen. Toutefois, il doutait fort que Mr. Polopetsi, pour sa part, ait pris la peine d'en faire autant.

— Le métier de détective privé est différent de celui de mécanicien, expliqua Mma Ramotswe. On peut très bien se déclarer détective sans posséder de diplômes officiels. D'ailleurs, à ma connaissance, il n'existe pas d'écoles de détectives. Je ne crois pas que Mr. Sherlock Holmes ait suivi une quelconque formation.

— Qui est ce Rra Holmes ? s'enquit aussitôt Motholeli.

— C'était un détective très célèbre, répondit Mma Ramotswe. Il fumait la pipe et était très intelligent.

Mr. J.L.B. Matekoni se caressa le menton.

— Je ne suis pas certain qu'il ait réellement existé, objecta-t-il. Il me semble qu'il était juste dans un livre.

Motholeli se tourna vers Mma Ramotswe pour clarification.

— Peut-être, répondit celle-ci. Cela se peut.

— Il vient d'un livre, confirma soudain Puso. La maîtresse nous a parlé de lui. Elle nous a raconté qu'il était allé voir des chutes d'eau et qu'il était tombé par-dessus la barrière. Elle a dit que c'est le genre de chose qui arrive aux détectives.

Mma Ramotswe parut réfléchir.

— Moi, je ne suis jamais allée aux chutes Victoria, déclara-t-elle.

— Si tu tombais dans les chutes Victoria, rétorqua Mr. J.L.B. Matekoni avec entrain, je suis sûr que tu ne te noierais pas. Tu as une constitution trop traditionnelle pour ça. Tu flotterais et tu rebondirais sur l'eau comme un gros ballon en caoutchouc. Tu ne te ferais aucun mal.

Les enfants éclatèrent de rire et Mma Ramotswe sourit, du moins un court instant. D'ordinaire, elle prêtait peu attention aux remarques relatives à sa constitution traditionnelle – dont elle était même fière, et à laquelle elle faisait souvent référence elle-même. Mais soudain, lui semblait-il, trop de personnes se mettaient à attirer son attention sur ce point. Il y avait eu cette remarque de Mr. Polopetsi, certes anodine, lancée au détour d'une conversation, mais qui n'en suggérait pas moins que les lions seraient ravis de la dévorer, parce qu'elle était grosse et juteuse. Et puis, l'infirmière, qui lui avait conseillé de surveiller sa tension et suggéré qu'un bon moyen serait de suivre un régime. Et à présent, voilà que Mr. J.L.B. Matekoni lui-même la comparait à un gros ballon de caoutchouc, et que les enfants riaient à cette idée (qu'ils devaient sans doute approuver).

Mma Ramotswe regarda son assiette. Elle n'avait pas l'impression de trop manger (si l'on omettait les gâteaux, et les beignets, et le potiron, et peut-être quelques autres choses encore), et sa constitution traditionnelle n'était qu'une question de nature. Toutefois, il ne faisait guère de doute qu'elle pouvait se permettre de perdre quelques kilos, ne fût-ce que pour éviter certaines situations embarrassantes, comme l'autre jour, lorsqu'en se penchant pour s'asseoir à son bureau elle avait fait craquer sa jupe. Mma Makutsi avait eu le tact de se dispenser de commentaire, mais l'incident ne lui avait pas échappé, car ses yeux s'étaient légèrement agrandis. Il existait certes de nombreux arguments en faveur de la constitution traditionnelle, mais il fallait reconnaître qu'il serait agréable de ne plus avoir à subir ces petites piques que lui lançaient les gens. C'était là, sans doute, un bon argument en faveur du régime, après tout, et elle montrerait aux autres qu'elle était capable de maigrir si elle le décidait. Seulement, on disait toujours qu'il fallait débuter sur-le-champ, au moment même où l'idée vous traversait l'esprit. Si l'on remettait le régime à plus tard, si l'on se promettait de commencer le lendemain, ou la semaine suivante, on ne le faisait jamais. On trouvait toujours une raison qui rendait l'entreprise impossible, ou peu pratique. Elle devait donc s'y mettre sans attendre, à l'instant même, avec cette appétissante assiette de ragoût posée juste devant elle.

— Motholeli et Puso, lança-t-elle, voulez-vous vous partager le ragoût que je me suis servi ? Je ne crois pas que je vais le manger.

Puso fut prompt à acquiescer et à pousser son assiette pour obtenir la portion supplémentaire, et sa sœur suivit aussitôt son exemple. Quant à Mr. J.L.B. Matekoni, il considéra Mma Ramotswe avec stupéfaction. Il reposa sa fourchette avant de l'avoir portée à sa bouche.

— Tu ne te sens pas bien, Mma Ramotswe ? s'enquit-il. Il paraît qu'il y a un virus qui se promène en ville. Beaucoup de gens ont mal au ventre.

— Je vais très bien, affirma Mma Ramotswe. J'ai simplement décidé qu'à partir de maintenant, je vais manger un peu moins.

— Mais tu vas mourir, intervint Puso avec angoisse. Quand on ne mange pas, on meurt. C'est la maîtresse qui nous l'a dit.

— Je ne vais pas cesser complètement de manger, le rassura Mma Ramotswe en riant. Ne t'en fais pas. Non, c'est juste que j'ai décidé de me mettre au régime, voilà tout. Je mangerai, mais pas autant qu'avant.

— Plus de gâteau, déclara Puso. Et plus de beignets.

— C'est exact, répondit Mma Ramotswe. La prochaine fois que Mma Potokwane me proposera de son fameux cake aux fruits, je lui dirai « Non, merci, Mma ». Voilà ce que je lui dirai.

— Et moi, je mangerai ta part, approuva Mr. J.L.B. Matekoni. Je n'ai pas besoin de suivre un régime, moi.

Mma Ramotswe garda le silence. Elle sentait déjà la faim la tenailler alors que le régime n'avait débuté que depuis quelques minutes. Peut-être pourrait-elle prendre juste un peu de ragoût ? Il en restait un fond dans la marmite. Elle se leva.

Mr. J.L.B. Matekoni sourit.

— Tu vas aller à la cuisine te servir du ragoût en cachette ? suggéra-t-il.

Mma Ramotswe se rassit.

— Pas du tout, répondit-elle vivement. Je ne voulais pas aller à la cuisine. Je me suis levée pour ajuster ma robe. Elle est un peu large, tu comprends…

Elle contempla le plafond. Elle avait entendu dire qu'il n'était pas facile de suivre un régime. Quelque temps auparavant, elle avait lu dans un article que les régimes incitaient les gens à se montrer malhonnêtes vis-à-vis de leur entourage – et vis-à-vis d'eux-mêmes. Une enquête menée dans l'un de ces instituts qui aidaient les gens à maigrir avait révélé que presque tous les participants au stage possédaient une réserve secrète d'en-cas. Elle avait trouvé cela amusant : l'idée de ces adultes qui se comportaient comme de petits enfants et se procuraient clandestinement des bonbons et du chocolat l'avait fait rire. Mais maintenant qu'elle était elle-même au régime, elle ne trouvait plus cela drôle du tout. Ça lui semblait plutôt triste, au contraire. Ces pauvres gens qui avaient faim et que l'on n'autorisait pas à manger ! Les régimes étaient cruels : ils constituaient une atteinte aux droits de l'homme. Oui, c'était bel et bien cela, et elle ne se laisserait pas manipuler de la sorte !

Elle s'arrêta. Elle ne faisait rien d'autre que se chercher des excuses pour interrompre son régime, songea-t-elle. Mais Mma Ramotswe était d'une autre trempe, et elle persisterait ! Ainsi, pendant que sa famille dégustait le dessert qu'elle avait préparé – une crème renversée à la banane, avec de la confiture rouge au milieu –, elle demeura assise, comme collée à son siège, et les regarda se régaler.

— Tu es sûre que tu n'en veux pas un petit peu, Mma Ramotswe ? interrogea Mr. J.L.B. Matekoni.

— Non, dit-elle, avant de se reprendre : Oui, j'en suis sûre. Ce qui veut dire non.

Mr. J.L.B. Matekoni sourit.

— Elle est très bonne, tu sais, dit-il.

C'est comme cela que nous nous laissons tenter, comprit Mma Ramotswe. Mais au moins, certaines personnes ont la force de résister.

Elle ferma les yeux. Il était plus facile d'être fort, pensa-t-elle, avec les yeux fermés. Quoique cela ne fonctionnât que dans une certaine mesure. On ne pouvait se promener indéfiniment les yeux fermés, surtout quand on était détective privé. Toute autre considération mise à part, cela allait à l'encontre des conseils que donnait Clovis Andersen dans *Les Principes de l'investigation privée*, dont un chapitre était intitulé : « De l'importance de garder les yeux ouverts. » Clovis Andersen avait-il déjà suivi un régime ? se demanda-t-elle. Il y avait une photographie de lui au dos du livre, à laquelle elle n'avait jamais prêté grande attention. Or, maintenant qu'elle y réfléchissait, un détail lui sautait à l'esprit : Clovis Andersen était de constitution traditionnelle.

CHAPITRE XV

Mr. Polopetsi cherche à se rendre utile

Lorsque Mma Ramotswe arriva à l'Agence N° 1 des Dames Détectives le lendemain matin, Mma Makutsi était déjà là.

— Alors, Mma, lança-t-elle, une fois échangées les salutations d'usage. Vous êtes toujours sur les traces de notre cher Mr. Cedric Disani. Qu'avez-vous réussi à découvrir aujourd'hui ?

Mma Makutsi saisit une feuille de papier, qu'elle brandit devant elle.

— Il y a une petite ferme près de Lobatse. J'ai tous les détails ici. Elle est censée appartenir à son frère, mais j'ai appelé les gens qui vendent les antiparasitaires pour le bétail. Ils m'ont dit que c'est Mr. Cedric Disani qui vient leur acheter les produits et qu'il y a toujours son nom sur les chèques. Cela intéressera les avocats. Je pense qu'ils cherchent à prouver que le vrai propriétaire, c'est lui.

— Ils vont être très satisfaits de votre travail, assura Mma Ramotswe. Mr. Disani, en revanche, en sera très mécontent.

Mma Makutsi se mit à rire.

— On ne peut pas plaire à tout le monde !
s'exclama-t-elle.

Les deux femmes bavardèrent encore quelques
minutes, puis Mma Makutsi proposa une tasse de thé.

— J'ai des beignets, ajouta-t-elle. C'est Phuti qui
me les a apportés hier soir. Il m'a dit de vous en donner un à vous et un à Mr. J.L.B. Matekoni.

Le visage de Mma Ramotswe s'éclaira.

— C'est très gentil à lui, répondit-elle. Un beignet...

Sa voix s'éteignit. Elle venait de se souvenir du
régime. Ce matin-là, elle n'avait mangé qu'un toast
accompagné d'une banane et il lui semblait avoir
l'estomac vide. C'était exactement d'un beignet
qu'elle avait envie. Un beignet recouvert d'une cou-
che de sucre glace solidifié, qui donnait un petit côté
croquant et laissait les lèvres blanches, et imbibé
d'une huile sucrée qui humidifiait la pâte. Le bonheur
absolu ! Le bonheur absolu...

— Je ne crois pas que j'en prendrai, Mma, déclara-
t-elle. Vous pouvez manger le mien.

Mma Makutsi haussa les épaules.

— Je serai ravie d'en manger deux, dit-elle. À
moins que j'en donne un aux apprentis, pour qu'ils le
partagent ? Non, je ne crois pas que je vais faire ça.
Je le mangerai.

Mma Makutsi se leva alors et entreprit de traverser
la pièce pour mettre la bouilloire en marche. Mma
Ramotswe remarqua qu'elle se déplaçait de façon
étrange. Elle avançait à petits pas et semblait chance-
ler chaque fois qu'elle posait un pied devant l'autre.
Les nouvelles chaussures, bien sûr ! Elle était allée
les retirer au magasin ce matin-là.

Mma Ramotswe se pencha au-dessus de son
bureau pour regarder.

— Vos nouvelles chaussures, Mma ! s'exclama-
t-elle. Ces ravissantes nouvelles chaussures !

Mma Makutsi s'immobilisa là où elle se trouvait, puis se retourna pour faire face à Mma Ramotswe.

— Alors, vous les aimez, Mma Ramotswe ?

Mma Ramotswe n'eut pas une hésitation.

— Bien sûr que je les aime ! En plus, elles vous vont à ravir.

Mma Makutsi esquissa un sourire modeste.

— Merci, Mma. Il faut que je les fasse un peu. Cela prend du temps, vous le savez…

Mma Ramotswe le savait. Et elle savait aussi, mais elle se garda de le dire, qu'il existait des chaussures qui ne se « faisaient » jamais. Les chaussures trop étroites l'étaient nécessairement pour une raison : elles étaient conçues pour des personnes aux pieds fins.

— Vous allez vous habituer, affirma-t-elle d'une voix qui toutefois manquait de conviction.

Mma Makutsi poursuivit sa progression jusqu'à la bouilloire – avec douleur, estima Mma Ramotswe. Puis elle revint à son bureau et se laissa tomber sur sa chaise, comme soulagée. Mma Ramotswe dut réprimer un sourire. C'était le point faible de son assistante – cet intérêt pour les chaussures inadaptées –, mais, en matière de défauts, celui-ci n'était pas trop grave. Il eût été bien plus dangereux pour elle de porter un intérêt aux *hommes* inadaptés. Or, Mma Makutsi ne montrait aucun signe d'un tel travers. Elle devenait même très sensée, au contraire, pour tout ce qui avait trait aux hommes, même si son précédent petit ami l'avait menée en bateau. Ce dernier, au fond, n'était pas inadapté du tout, si l'on passait sur le fait qu'il était déjà marié, bien sûr.

Lorsque la bouilloire fut prête, Mma Makutsi prépara le thé – du thé Tanganda pour elle-même et du thé rouge pour Mma Ramotswe –, puis apporta la tasse jusqu'au bureau de Mma Ramotswe. Celle-ci réprima l'élan spontané qui la poussait à aller chercher elle-même son thé au vu des souffrances que semblait endurer Mma Makutsi ; il ne servait à rien, songea-t-elle, de lui montrer qu'elle remarquait ses tourments. Il lui serait déjà assez difficile de reconnaître son erreur, ce n'était pas la peine d'en rajouter.

Les beignets furent extraits de leur emballage graisseux et Mma Makutsi commença à manger.

— C'est vraiment délicieux, commenta-t-elle. Phuti connaît le boulanger de Broadhurst, qui lui réserve toujours les meilleurs beignets. Ils sont très bons, Mma. Vraiment très bons.

Elle s'interrompit pour sucer le sucre qui lui collait aux doigts.

— Vous avez dû prendre un petit déjeuner très consistant ce matin, reprit-elle, pour refuser un beignet. Ou alors, vous êtes malade.

— On n'est pas obligé de manger des beignets toute la journée, rétorqua Mma Ramotswe. Il y a d'autres choses à faire.

Mma Makutsi haussa les sourcils. Suggérer que l'on consommait des beignets toute la journée semblait un peu extrême de la part de Mma Ramotswe. Deux en une matinée, ce n'était pas excessif, sans doute, et Mma Ramotswe n'avait pas coutume de prendre un air dégoûté devant la possibilité d'en savourer. À moins que… Non, ce serait un événement extraordinaire… Mma Ramotswe au régime ?

Mma Makutsi leva les yeux pour examiner Mma Ramotswe.

— Vous n'auriez jamais l'idée de vous mettre au régime, si, Mma Ramotswe ?

Elle avait posé la question d'un ton badin, mais comprit tout de suite qu'elle avait vu juste. Mma Ramotswe releva brusquement la tête, avec cette expression d'irritation mêlée d'auto-apitoiement qu'affichait tout individu en début de régime.

— En l'occurrence, Mma, je suis actuellement au régime, annonça Mma Ramotswe. Et vous voir manger des beignets comme ça devant moi ne me facilite pas les choses.

Venant de Mma Ramotswe, d'ordinaire si bienveillante et si polie, la réplique semblait anormalement acerbe, aussi Mma Makutsi ne s'en formalisat-elle pas. La mauvaise humeur faisait partie des effets secondaires des régimes, c'était connu, et pouvait-on blâmer les gens de se montrer irritables quand ils souffraient en permanence de la faim ? Mais en même temps, la vie quotidienne devait pouvoir suivre son cours pour l'entourage de ces personnes, et les beignets faisaient partie de la vie quotidienne.

— Vous ne pouvez pas demander à tout le monde d'arrêter de manger, Mma Ramotswe, fit remarquer Mma Makutsi.

Rien d'autre ne fut ajouté sur le sujet, mais il apparut à Mma Ramotswe que c'était le genre de question que l'on aurait pu poser à Tante Emang. Elle imagina la lettre : « Chère Tante Emang, je suis au régime et, pourtant, la dame qui travaille avec moi dans mon bureau mange des beignets devant moi. Je trouve cela extrêmement pénible. Je ne voudrais pas être impolie, mais y a-t-il quelque chose que je puisse faire ? »

Sans doute Tante Emang s'en tirerait-elle par l'une de ses fameuses pirouettes, songea Mma Ramotswe. Elle se mit à réfléchir à Tante Emang. Il devait être étrange de recevoir sans cesse des lettres dans lesquelles des inconnus exposaient toutes sortes de problèmes. On se retrouvait ainsi détenteur d'une infinité de petits secrets… Elle s'interrompit. Une idée venait d'affleurer dans son esprit. Elle la nota aussitôt sur un morceau de papier, afin de ne pas la laisser s'envoler, destinée de beaucoup d'idées, brillantes ou non.

Peu avant le déjeuner, Mr. Polopetsi frappa à la porte. On ne l'avait pas vu ce matin-là, ce qui n'avait rien d'exceptionnel. Mr. J.L.B. Matekoni avait découvert qu'il était bon conducteur – contrairement aux apprentis, qui saisissaient la moindre occasion pour dépasser les limites de vitesse – et il l'envoyait donc chercher les pièces détachées ou livrer les voitures aux clients qui ne pouvaient venir les récupérer au garage. Cela ne gênait pas Mr. Polopetsi de rentrer ensuite à pied, ou de prendre le minibus, tandis que les apprentis, eux, insistaient pour que Mr. J.L.B. Matekoni vienne les chercher en camion. Cependant, ces courses prenaient beaucoup de temps et Mr. Polopetsi restait parfois absent du garage de longues heures durant.

— Mr. Polopetsi ! s'exclama Mma Ramotswe en le voyant entrer. Vous étiez encore en vadrouille, Rra ? Toujours sur les routes, d'est en ouest et du nord au sud ?

— On le connaît dans toute la ville ! renchérit Mma Makutsi en riant. C'est le messager le plus célèbre. Comme Superman !

— Superman n'était pas un messager, objecta Mma Ramotswe. C'était…

Elle ne termina pas sa phrase. Que faisait au juste Superman ? Elle se demandait si ce détail avait jamais été clair. Mr. Polopetsi, pour sa part, ne se mêla pas au débat. Il avait remarqué que, par moments, ces dames se montraient d'humeur absurde, lançant alors toutes sortes de bêtises censées faire rire. Il ne les trouvait jamais drôles.

— Je suis allé chercher des pièces détachées pour Mr. J.L.B. Matekoni, expliqua-t-il avec patience. Il fallait des fusibles, et nous étions aussi à court de courroies de ventilateur et…

— Et bla bla bla, et bla bla bla… coupa Mma Makutsi. Ce sont les histoires du garage, ça n'a aucun intérêt pour nous, Mr. Polopetsi. Nous nous occupons d'affaires bien plus importantes dans cette partie-ci du bâtiment.

— Vous trouveriez que les courroies de ventilateur ont leur intérêt si la vôtre venait à lâcher au beau milieu de la route de Francistown, rétorqua Mr. Polopetsi.

Il s'apprêtait à poursuivre en exposant l'importance de la mécanique, mais il s'arrêta net. Mma Makutsi s'était levée pour aller prendre un dossier dans l'armoire métallique et il voyait à présent les chaussures bleues. Il remarqua aussi la manière singulière qu'elle avait de se déplacer.

— Vous vous êtes fait mal, Mma ? interrogea-t-il avec sollicitude. Vous vous êtes foulé la cheville ?

Mma Makutsi poursuivit sa progression boitillante.

— Non, répondit-elle. Je ne me suis pas fait mal. Je vais très bien, merci, Rra.

Le regard d'avertissement de Mma Ramotswe échappa à Mr. Polopetsi, qui poursuivit :

— On dirait que vous avez des chaussures neuves. Dites donc ! Elles sont à la mode, hein ? Je les vois à peine, tellement elles sont petites ! Vous êtes sûre qu'elles vous vont ?

— Évidemment ! marmonna Mma Makutsi. Je suis en train de les faire un peu, c'est tout !

— J'aurais pensé que vos pieds étaient beaucoup trop larges pour des souliers comme ceux-là, Mma, reprit Mr. Polopetsi. Cela m'étonnerait que vous puissiez courir avec. Ou même marcher, d'ailleurs…

Mma Ramotswe ne put retenir un sourire, aussi s'absorba-t-elle dans la contemplation de son bureau, s'efforçant de dissimuler son visage à l'assistante.

— Qu'en pensez-vous, Mma Ramotswe ? lui lança Mr. Polopetsi. Vous trouvez que c'est bien pour Mma Makutsi de porter ce genre de chaussures ?

— Cela ne me regarde pas, Rra, répondit-elle. Mma Makutsi est assez grande pour choisir elle-même ses chaussures.

— Oui, confirma Mma Makutsi, une note de défi dans la voix. Je ne fais pas de commentaires sur vos chaussures, moi, alors abstenez-vous d'en faire sur les miennes. C'est très impoli de la part d'un homme de parler à une femme de ses chaussures, tout le monde le sait. N'est-ce pas, Mma Ramotswe ?

— C'est juste, acquiesça Mma Ramotswe, loyale. Mais, Mr. Polopetsi, n'étiez-vous pas venu nous voir pour nous dire quelque chose ?

Mr. Polopetsi traversa la pièce et, sans y avoir été convié, s'installa sur la chaise des clients.

— J'ai quelque chose à vous montrer, déclara-t-il. C'est dehors, derrière le garage. Mais d'abord, je dois tout vous expliquer. Vous souvenez-vous du jour où nous sommes allés à Mokolodi ? Il y avait un problème là-bas, n'est-ce pas ?

Mma Ramotswe hocha la tête, sur ses gardes.

— Je ne pense pas que tout allait pour le mieux, en effet.

— Les gens avaient peur, hein ? la pressa Mr. Polopetsi. Vous l'aviez remarqué ?

— Peut-être, concéda Mma Ramotswe.

— Bon, en tout cas, moi, je m'en suis aperçu, poursuivit Mr. Polopetsi. Et pendant que vous bavardiez avec les gens, j'ai mené ma petite enquête. J'ai creusé un peu.

Mma Ramotswe fronça les sourcils. Ce n'était pas à Mr. Polopetsi de creuser. Elle ne l'avait pas emmené là-bas pour cela. C'était certes un homme perspicace, intelligent de surcroît, mais il ne devait pas se figurer qu'il était de taille à se lancer dans des enquêtes. Même Mma Makutsi, malgré son expérience considérable en la matière, n'entreprenait rien sans en parler d'abord à sa supérieure. Il s'agissait d'une simple question de responsabilité. Si les choses tournaient mal, ce serait Mma Ramotswe qui l'endosserait, en tant que chef. Voilà pourquoi elle devait être tenue informée de tout ce qui se passait.

Elle se redressa pour s'adresser à Mr. Polopetsi avec la fermeté requise. Ce rôle ne lui plaisait guère, mais elle était la patronne et ne pouvait se dérober à son devoir.

— Mr. Polopetsi, commença-t-elle, je ne crois pas que...

Il l'interrompit d'un index impérieux pointé vers le ciel, comme s'il désignait la source de son inspiration.

— Ce n'était rien d'autre qu'un oiseau, lança-t-il. Vous vous rendez compte, Mma Ramotswe ? C'était un oiseau qui causait toutes ces inquiétudes, toutes ces angoisses !

Ces mots réduisirent Mma Ramotswe au silence. Bien sûr que c'était un oiseau – elle avait fini par le comprendre, après avoir fait parler son cousin. Mais elle était stupéfaite que Mr. Polopetsi, qui ne connaissait personne à Mokolodi, ait découvert la même chose.

— Je savais, pour l'oiseau, dit-elle gravement. Et je m'apprêtais à agir afin d'y remédier.

Mr. Polopetsi leva de nouveau le doigt.

— Inutile, c'est déjà fait ! affirma-t-il d'une voix claire. J'ai résolu le problème.

Mma Makutsi, qui suivait la conversation avec un intérêt croissant, choisit ce moment pour intervenir :

— Qu'est-ce que c'est que cette histoire d'oiseau ? interrogea-t-elle. Comment un oiseau peut-il causer des angoisses ?

Mr. Polopetsi tourna sa chaise pour lui faire face.

— Ce n'est pas un oiseau ordinaire, voyez-vous, expliqua-t-il. C'est un calao... un calao terrestre.

Mma Makutsi frémit. On rencontrait les calaos terrestres dans le Nord, d'où elle venait, et ils portaient malheur. Les gens les évitaient et ils avaient raison, bien sûr. Il suffisait, pour s'en convaincre, de regarder ces volatiles, qui avaient la taille d'une dinde, un bec immense et des yeux de vieillard.

— Oui, poursuivit Mr. Polopetsi. Cet oiseau a été introduit dans la réserve de Mokolodi. Quelqu'un l'a trouvé, gisant sur la route du nord, et l'a apporté là-bas. Il avait une aile et une patte cassées : on l'a soigné et on l'a gardé pour qu'il récupère. Seulement, tout le monde était terrorisé, parce qu'on savait qu'il allait amener la mort. Ces oiseaux-là amènent la mort.

— Alors pourquoi les gens n'ont-ils rien dit ? s'étonna Mma Makutsi.

— Parce qu'ils avaient honte, répliqua Mr. Polopetsi. Personne ne voulait être celui qui irait trouver Neil et qui lui expliquerait que les gens ne voulaient pas de cet oiseau dans l'enceinte de la réserve. Personne n'avait envie de passer pour quelqu'un de superstitieux et de vieux jeu. C'était bien ça, Mma Ramotswe, n'est-ce pas ?

Mma Ramotswe hocha la tête, mais à contrecœur. Mr. Polopetsi était parvenu à la même conclusion qu'elle. Mais qu'avait-il fait ensuite ? Elle avait pour sa part considéré que le problème était très délicat et nécessitait une intense réflexion préalable. Mr. Polopetsi, semblait-il, avait foncé droit devant lui.

— Vous dites que vous avez résolu le problème, déclara-t-elle. Mais comment vous y êtes-vous pris, Rra ? Vous avez dit à l'oiseau de s'envoler et de ne plus revenir ?

Mr. Polopetsi secoua la tête.

— Non, pas du tout, Mma. Je suis allé le chercher pendant la nuit.

Mma Ramotswe eut l'impression que le souffle lui manquait.

— Mais on ne peut pas faire ça…

— Et pourquoi donc, Mma ? se récria Mr. Polopetsi. C'est un animal sauvage. Un oiseau sauvage n'appartient à personne. Ils n'ont aucun droit de le garder à la réserve.

— Ils l'auraient relâché une fois guéri, insista Mma Ramotswe, une note de colère dans la voix.

— Oui, mais en attendant, qu'est-ce qui se serait passé ? la défia Mr. Polopetsi. Peut-être que quelqu'un l'aurait tué. Ou alors, des choses affreuses se seraient produites et tout le monde en aurait voulu à Neil, puisque c'est lui qui avait accepté l'oiseau. Il y aurait eu une pagaille terrible…

Mma Ramotswe réfléchit. Mr. Polopetsi disait peut-être vrai, mais cela ne justifiait pas qu'il prît lui-même les choses en main.

— Et où l'avez-vous relâché, Rra ? s'enquit-elle. Ces oiseaux-là ne sont pas adaptés à notre région. Ils vivent là-haut, précisa-t-elle en désignant la direction du nord, de la savane du Tuli Block, des monts Swapong et des grandes plaines du Matabeleland.

— Je sais, répondit Mr. Polopetsi. Et c'est pour cette raison que je ne l'ai pas encore libéré. J'ai demandé à un chauffeur de camion de l'emmener vers le nord quand il ira à Francistown, demain. Il le libérera là-bas. Je lui ai donné quelques pula pour ça. Et des cigarettes.

— Mais alors, où se trouve l'oiseau en ce moment ? intervint Mma Makutsi. Où le cachez-vous ?

— Je ne le cache nulle part, protesta Mr. Polopetsi. Il est dehors, dans une boîte en carton. Je vais vous le montrer.

Il se leva. Mma Ramotswe échangea un regard avec son assistante – un regard difficile à interpréter, où se mêlaient surprise et appréhension. Puis les deux femmes le suivirent hors du bureau et contournèrent le bâtiment. Contre le mur, en plein soleil, elles aperçurent une grande boîte en carton que l'on avait percée de trous pour laisser entrer l'air. Mr. Polopetsi s'en approcha avec précaution.

— Je vais ouvrir un tout petit peu le couvercle, déclara-t-il. Je ne veux pas qu'il s'échappe.

Mma Ramotswe et Mma Makutsi se postèrent derrière lui, tandis qu'il soulevait doucement un bord du carton.

— Regardez, souffla-t-il. Il est endormi.

Mma Ramotswe jeta un coup d'œil à l'intérieur. Au fond de la boîte gisait le grand corps du calao terrestre, dont le lourd bec reposait sur la poitrine, entrouvert. Elle le considéra quelques instants, avant de se redresser.

— Cet oiseau est mort, Rra, déclara-t-elle. Il n'est pas endormi. Il est décédé.

Elle fit preuve d'une grande gentillesse envers Mr. Polopetsi, trop bouleversé pour les aider à enterrer l'oiseau dans les broussailles, près du Tlokweng Road Speedy Motors. Elle ne lui fit pas remarquer qu'il fallait vraiment manquer de jugeote pour laisser ainsi un animal en plein soleil pendant des heures, dans une boîte où la température avait dû atteindre un seuil critique. Elle ne le dit pas, et lança à Mma Makutsi un regard qui interdit à celle-ci d'ouvrir la bouche. Au contraire, elle affirma que n'importe qui aurait pu commettre la même erreur et qu'elle savait bien qu'il avait juste cherché à se rendre utile. Puis, avec toute la délicatesse dont elle était capable, elle lui expliqua qu'à l'avenir il devrait obtenir son accord avant de recourir aux solutions qu'il pouvait imaginer pour résoudre les problèmes.

— Cela vaudra mieux, assura-t-elle à mi-voix, lui touchant doucement l'épaule en un geste de réconfort et de pardon.

Aidée de Mma Makutsi, elle emporta le corps inerte de l'oiseau dans le bush. Elles trouvèrent un endroit, un bon endroit, à l'ombre d'un petit acacia où la terre était assez meuble. Ce fut Mma Ramotswe qui creusa le trou, une tombe pour l'oiseau, à l'aide d'une herminette prêtée par un voisin du garage, propriétaire d'un lopin de terre. Elle levait l'herminette au-dessus de sa tête et l'abattait en cadence, comme l'avaient fait d'autres femmes avant elle, d'innombrables générations de femmes de sa famille et de sa tribu, lorsqu'elles préparaient la terre du Botswana, la bonne terre de leur pays, pour les cultures. Mma Makutsi apprêta l'oiseau avant de le poser dans sa tombe, avec des gestes doux, comme elle aurait porté un ami en terre.

Mma Ramotswe la regarda. Elle avait envie de dire quelque chose, mais ne parvenait pas à s'y résoudre. *Cet oiseau était l'un de nos frères et sœurs. Nous le rendons à la terre d'où il vient, cette terre dont nous venons nous aussi. Et à présent, nous allons l'ensevelir...* Ce qu'elles firent, jetant doucement la terre sur l'oiseau, sur son grand bec, sur son large corps défait, lui dont la courte existence avait été si douloureuse et la fin si terrible, jusqu'à le recouvrir totalement.

Mma Ramotswe adressa ensuite un signe de tête à Mma Makutsi et, ensemble, elles retournèrent au garage, pieds nus, dans la simplicité, comme leurs mères et leurs grands-mères avaient marché avant elles sur cette terre qui signifiait tant pour elles, notre lieu de repos à tous : celui des hommes, des animaux des oiseaux.

CHAPITRE XVI

Le Dr Moffat pose un diagnostic

Mortifié, Mr. Polopetsi était très désireux de se racheter après le dramatique dénouement de son initiative. Le lendemain matin, il passa plusieurs fois la tête par la porte de l'Agence N° 1 des Dames Détectives en demandant à Mma Ramotswe s'il pouvait l'aider d'une manière ou d'une autre. Elle répondait poliment que, pour le moment, il n'y avait pas grand-chose à faire, mais qu'elle l'appellerait si nécessaire.

— Le pauvre homme ! s'exclama Mma Makutsi. Il se sent très mal, vous ne croyez pas, Mma ?

— Si, répondit Mma Ramotswe. Cela ne doit pas être facile pour lui.

— En tout cas, vous avez été gentille avec lui, Mma, reprit Mma Makutsi. Vous n'avez pas crié, vous ne lui avez pas montré que vous étiez en colère.

— À quoi bon se mettre en colère ? rétorqua Mma Ramotswe. Quand on est fâché contre quelqu'un, cela fait-il avancer quoi que ce soit ? Surtout quand la personne en question a voulu bien faire. Mr. Polopetsi était désolé : c'est cela qui compte.

Elle réfléchit un moment. Il ne faisait aucun doute que Mr. Polopetsi attendait un signe, un signe qui prouverait qu'elle avait encore assez confiance en lui pour le charger de certaines tâches à l'occasion. Travailler comme détective restait son souhait le plus cher – il l'avait démontré de façon manifeste – et il devait redouter que ce fiasco ait sonné le glas de cette perspective. Elle trouverait donc quelque chose. Elle lui signifierait qu'elle croyait encore en ses capacités.

Mma Ramotswe consulta sa liste. L'affaire de Mokolodi était résolue – de façon malheureuse, bien sûr, mais résolue malgré tout –, ce qui laissait le problème du docteur et celui de Mma Tsau. Elle avait déjà sa petite idée sur ce qu'elle ferait en ce qui concernait le docteur et elle s'en occuperait bientôt, mais l'histoire du chantage restait à élucider. Pouvait-elle utiliser Mr. Polopetsi pour cela ? Elle décida que oui.

Mma Makutsi convoqua Mr. Polopetsi dans le bureau et il prit place sur la chaise des clients, se tordant les mains avec anxiété.

— Vous savez, Mr. Polopetsi, commença Mma Ramotswe, que j'ai toujours respecté vos compétences de détective. Et je continue à le faire. Je voulais que vous le sachiez.

Le visage de Mr. Polopetsi s'illumina d'un sourire ravi.

— Merci, Mma. Vous êtes très gentille. Vous êtes ma mère, Mma Ramotswe.

Mma Ramotswe balaya le compliment d'un geste. *Je ne suis la mère de personne*, songea-t-elle, *sauf de mon petit enfant, au paradis. Je suis la mère de cet enfant.*

— Vous me demandiez de vous donner quelque chose à faire, Rra. Eh bien, j'ai des recherches à vous confier. Il y a une jeune femme nommée Poppy qui est venue nous voir. Elle travaille sous les ordres d'une dame qui vole de la nourriture au gouvernement pour la donner à son mari. Cette dame, Mma

Tsau, a reçu des menaces d'un maître chanteur. Comme Poppy était apparemment la seule à savoir, elle a imaginé que la lettre venait de celle-ci.

— Et Poppy est vraiment la seule à savoir ? interrogea Mr. Polopetsi.

— Je ne crois pas, répondit Mma Ramotswe. Je pense qu'elle l'a dit au moins à une personne.

— Alors si nous découvrons qui est cette personne, nous tiendrons notre maître chanteur ?

Mma Ramotswe sourit.

— Vous y êtes ! Je savais que vous étiez un bon détective. C'est exactement la conclusion qu'il fallait tirer.

Elle marqua un bref temps d'arrêt.

— Allez voir cette Poppy et posez-lui une question, une seule. Demandez-lui ceci : *Avez-vous écrit à quelqu'un, qui que ce soit, au sujet de vos problèmes ?* C'est tout ce que vous lui demanderez. Utilisez exactement ces termes et voyez ce qu'elle vous répond.

Elle expliqua à Mr. Polopetsi où travaillait Poppy. Il pouvait y aller sans délai, dit-elle, et demander à la rencontrer. Il prétendrait qu'il avait un message à lui transmettre. Les gens communiquaient beaucoup par messages et elle ne manquerait pas de venir en prendre connaissance.

Après le départ de Mr. Polopetsi, Mma Ramotswe sourit à Mma Makutsi.

— Cet homme-là est un bon détective, déclara-t-elle. Il ferait un excellent assistant pour vous, Mma Makutsi.

Mma Makutsi accueillit cette remarque avec délectation. Elle se réjouissait à l'idée d'avoir un assistant, ou du moins quelqu'un sous ses ordres. Elle avait suivi un cours de gestion du personnel à l'Institut de secrétariat du Botswana et obtenu une très bonne note dans cette matière. Elle avait conservé ses cours quelque part et pourrait les retrouver, afin de les relire en détail avant de commencer à exercer son autorité sur Mr. Polopetsi.

— Maintenant, reprit Mma Ramotswe, j'ai un rendez-vous chez le médecin. Je ne dois pas le manquer.

— Vous n'êtes pas malade, n'est-ce pas, Mma Ramotswe ? s'informa Mma Makutsi. C'est ce régime que vous faites…

Mma Ramotswe la coupa net.

— Mon régime marche très bien, rétorqua-t-elle. Non, cela n'a rien à voir avec ça. J'ai simplement pensé qu'il serait bon d'aller faire vérifier ma tension.

Découvrir de quel médecin parlait Boitelo s'était révélé un jeu d'enfant. La jeune femme avait laissé échapper, sans y penser, qu'il était ougandais et que son cabinet se trouvait si près de chez elle qu'elle pouvait s'y rendre à pied. Mma Ramotswe possédait l'adresse de Boitelo et il lui avait suffi de parcourir la liste des généralistes dans l'annuaire téléphonique. Les noms ougandais se repéraient sans peine – il y en avait un certain nombre. Ensuite, elle n'avait eu aucun mal à constater que le Dr Eustace Lubega possédait un cabinet à l'angle de la rue où habitait Boitelo. Il ne restait plus, après ça, qu'à passer un coup de téléphone pour prendre rendez-vous.

Ce fut Boitelo qui lui répondit. Mma Ramotswe commença par donner son nom et le silence se fit à l'autre bout du fil.

— Pourquoi téléphonez-vous ici ? demanda enfin Boitelo à voix basse.

— Je voudrais prendre rendez-vous – en tant que patiente – avec votre bon Dr Lubega, expliqua Mma Ramotswe. Et ne vous inquiétez pas. Je ferai comme si je ne vous connaissais pas. Je ne lui parlerai pas de vous.

Cette assurance fut suivie d'un nouveau silence.

— Vous me le promettez ? finit par articuler Boitelo.

— Bien sûr que je vous le promets, Mma, répondit Mma Ramotswe. Je suis là pour vous protéger. Ne vous en faites pas.

— Pourquoi voulez-vous le voir ? s'enquit encore Boitelo.

— Pour faire vérifier ma tension.

À présent, Mma Ramotswe garait sa petite fourgonnette blanche devant la plaque qui indiquait le cabinet du Dr Eustace Lubega MB, ChB[1] (Makerere). Elle entra et s'installa dans la salle d'attente. Il s'agissait, à l'origine, d'une maison particulière – l'une de ces vieilles bâtisses de la *Botswana Housing Corporation*, dotée d'une petite véranda et similaire à sa propre maison de Zebra Drive – et le salon servait de salle d'accueil. La cheminée, où avaient dû brûler bien des feux de bois durant les froides nuits d'hiver, était toujours là, mais on l'avait garnie d'un décor de fleurs séchées et de gousses. Sur l'un des murs, un grand tableau d'affichage présentait des informations sur l'immunisation, ainsi que des mises en garde appelant à la plus grande prudence dans le domaine de la vie privée. Il y avait également un dessin de moustique et un avis prônant la vigilance à proximité des eaux stagnantes.

Une autre patiente attendait pour voir le médecin, une femme enceinte, qui accueillit Mma Ramotswe d'un courtois signe de tête. Boitelo, quant à elle, fit mine de ne pas reconnaître la nouvelle venue et l'invita à prendre un siège. La consultation de la femme enceinte se révéla très brève, puis ce fut au tour de Mma Ramotswe de pénétrer en salle de consultation.

1. Abréviation de *Medicinae Baccalaureus* et *Chirurgiae Baccalaureus*, diplômes de médecine et chirurgie. (*N.d.T.*)

Le Dr Lubega leva les yeux de son bureau, fit signe à Mma Ramotswe de s'asseoir et plaça une feuille blanche devant lui.

— Je n'ai pas de fiche vous concernant, déclara-t-il.

Mma Ramotswe se mit à rire.

— Cela fait une éternité que je n'ai pas consulté, docteur Lubega. Si vous aviez une fiche sur moi, elle serait périmée !

Le docteur haussa les épaules.

— Eh bien, Mma Ramotswe, que puis-je faire pour vous aujourd'hui ?

Mma Ramotswe fronça les sourcils.

— Ces derniers temps, mes amis me parlent de plus en plus de ma santé, commença-t-elle. Vous savez comment sont les gens. Ils m'ont conseillé de faire vérifier ma tension. À cause de ma constitution assez traditionnelle...

Le Dr Lubega la dévisagea d'un air perplexe.

— Votre constitution traditionnelle, Mma ?

— Oui, expliqua Mma Ramotswe. Je suis bâtie comme doivent l'être les femmes africaines dans notre tradition.

Le Dr Lubega commença à sourire, mais ses manières professionnelles reprirent vite le dessus et il retrouva sa gravité.

— Pour ce qui est de la tension, vos amis ont raison. Les personnes ayant une surcharge pondérale doivent faire un peu attention. Je vais vérifier ça, Mma, et en profiter pour vous examiner.

Mma Ramotswe s'allongea sur le lit qu'il lui désignait et le médecin procéda à un rapide examen. Tandis qu'il l'auscultait, elle l'observa à la dérobée : elle remarqua l'impeccable chemise blanche au col amidonné, la cravate aux armoiries de l'université et, sous le menton, une fine ligne de poils que le rasoir avait manquée.

— Votre cœur me semble en bon état, conclut-il. Vous devez être une femme au grand cœur, Mma !

Elle se força à sourire. Il haussa alors les sourcils.

— Maintenant, dit-il, voyons la tension…

Il entreprit de lui passer le brassard du tensiomètre autour du bras, mais interrompit son geste.

— C'est trop petit, murmura-t-il en le retirant. Il m'en faut un de dimensions plus… traditionnelles.

Il se retourna et ouvrit un tiroir, dont il tira un autre brassard. Après l'avoir raccordé à son instrument, il l'enfila au bras de Mma Ramotswe, le gonfla, puis examina le résultat. Elle le vit inscrire sur une fiche des chiffres qu'elle ne put distinguer. Mma Ramotswe reprit place devant le bureau du médecin et écouta ce qu'il avait à lui dire.

— Vous me paraissez plutôt en forme, commença-t-il, pour une… pour une femme de constitution traditionnelle. Toutefois, je crains que votre tension ne soit un peu trop élevée. Vous avez 16/9. C'est légèrement au-dessus de la normale et je pense qu'il vaudrait mieux prendre quelque chose pour la faire baisser. Il existe un très bon médicament qui comprend deux remèdes en un : il y a ce que nous appelons un bêtabloquant d'une part, et un diurétique d'autre part. Ce serait idéal pour vous.

— D'accord, acquiesça Mma Ramotswe. Je suivrai votre conseil, docteur.

— Parfait, répondit le Dr Lubega. Seulement, il faut que vous sachiez une chose, Mma. Il s'agit d'un excellent médicament, mais il coûte assez cher. Vous allez devoir débourser deux cents pula par mois. Je peux vous le vendre ici, mais je me dois de vous prévenir.

Mma Ramotswe émit un sifflement.

— Dites-moi ! Cela fait beaucoup d'argent pour quelques petites pilules !

Elle fit mine de réfléchir, avant de questionner :

— Mais j'en ai vraiment besoin, n'est-ce pas ?

— Oui, répondit le Dr Lubega.

— Dans ce cas, je les prendrai. Je n'ai pas les deux cents pula sur moi, mais j'en ai déjà cinquante.

Le médecin fit un geste bonhomme.

— Cela vous permettra déjà de commencer. Vous reviendrez prendre le reste quand vous aurez l'argent.

Armée de son petit flacon de pilules bleu ciel, Mma Ramotswe se rendit ce soir-là chez son ami Howard Moffat. Sa femme et lui étaient installés dans le salon lorsqu'elle appela de la grille. Le grand chien marron du docteur, dont Mma Ramotswe se méfiait beaucoup, se mit à aboyer bruyamment, mais fut réduit au silence par son maître et envoyé à l'arrière de la maison.

— Je suis désolé pour le chien, lança le Dr Moffat. Il n'est pas très aimable. Je ne comprends pas ce que nous avons fait de mal avec lui.

— Certains chiens sont tout simplement mauvais, répondit Mma Ramotswe. Leurs propriétaires n'y sont pour rien. C'est comme les enfants désobéissants : ce n'est pas toujours la faute des parents...

— Bah, il finira peut-être par changer, dit le Dr Moffat. Avec l'âge, il deviendra moins agressif...

Mma Ramotswe sourit.

— Je l'espère, docteur, acquiesça-t-elle. Mais je ne suis pas venue ici pour dire du mal de votre chien. En fait, je voulais vous demander un petit service.

— Je suis toujours ravi de te rendre service, Mma Ramotswe, répondit le Dr Moffat. Tu le sais.

— Dans ce cas, pourriez-vous me prendre la tension ?

Si cette requête surprit le médecin, il n'en laissa rien paraître. Il invita Mma Ramotswe à entrer dans son bureau, à l'arrière de la maison, sortit un tensiomètre d'un tiroir et passa le brassard autour du bras que Mma Ramotswe lui tendait.

— Tu ne te sens pas bien en ce moment ? interrogea-t-il, tout en gonflant l'instrument.

— Si, répondit Mma Ramotswe. Mais j'ai besoin de savoir.

Le Dr Moffat regarda l'aiguille.

— C'est un tout petit peu plus élevé que la normale, déclara-t-il. Tu as 16/9. Dans ton cas, il serait peut-être bon d'effectuer quelques examens complémentaires.

Mma Ramotswe le considéra.

— Vous êtes sûr de ces chiffres ? interrogea-t-elle.

Le Dr Moffat acquiesça.

— Mais ce n'est pas très grave, ajouta-t-il.

— C'est exactement ce que je pensais.

Il lui lança un regard étonné.

— Ah bon ? Pourquoi ?

Elle ne répondit pas à la question, mais fouilla dans sa poche pour en extraire la boîte de pilules achetée au Dr Lubega.

— Vous connaissez ces médicaments ? interrogea-t-elle.

Le Dr Moffat lut l'étiquette.

— Ce sont des comprimés très connus pour la tension, répondit-il. Ils sont excellents. Un peu chers, mais très efficaces. Ils contiennent un bêtabloquant associé à un diurétique.

Il ouvrit le flacon et versa quelques pilules dans sa main. Il fronça alors les sourcils et en examina une de plus près.

— C'est bizarre, déclara-t-il au bout d'un moment. Je ne me souvenais pas que ces comprimés se présentaient comme ça. Dans mon souvenir, ils étaient blancs. Je dois me tromper, bien sûr. Ils sont… bleus, n'est-ce pas ? Oui, oui, ils sont bleus.

Il remit les pilules dans le flacon et se leva pour gagner la bibliothèque, d'où il sortit un volume.

— C'est le *British National Formulary*[1], expliqua-t-il. Il répertorie tous les médicaments, avec leur présentation et leurs propriétés. Voyons voir…

Il lui fallut quelques minutes pour repérer le nom du remède. Lorsqu'il le découvrit, il hocha la tête pour signifier son approbation.

— C'est bien ça, commenta-t-il, tout en lisant. Comprimés blancs. Chaque comprimé renferme 50 mg de bêtabloquant et 12,5 mg de diurétique.

Il referma le volume et considéra Mma Ramotswe par-dessus ses lunettes.

— Il va falloir que tu me dises d'où proviennent ces pilules, Mma Ramotswe, déclara-t-il. Mais peut-être cela sera-t-il plus facile autour d'une tasse de thé ? Je suis sûr que Fiona sera heureuse de nous en préparer pendant que tu m'expliqueras tout cela.

— C'est une très bonne idée, acquiesça Mma Ramotswe.

Lorsqu'elle eut raconté son histoire, le Dr Moffat secoua tristement la tête.

— J'ai bien peur de devoir conclure que ce Dr Lubega substitue un générique bon marché à un médicament très onéreux, tout en faisant payer le prix fort à ses patients.

— Mais cela présente-t-il un danger pour eux ? s'enquit Mma Ramotswe.

— Cela peut arriver, répondit le Dr Moffat. Certains génériques ne posent pas de problèmes, mais d'autres ne remplissent pas toujours leur fonction. C'est une question de pureté, tu comprends. Bien sûr, ce médecin doit estimer que tout ira bien et que ces comprimés ne peuvent faire de mal à personne, mais ce n'est pas toujours le cas. On ne doit pas prendre ce

1. Équivalent britannique du *Vidal*. (*N.d.T.*)

genre de risque. Et quoi qu'il en soit, il s'agit d'une fraude vis-à-vis des patients.

Il secoua la tête.

— Bien sûr, nous allons être obligés de le signaler. Tu le sais, n'est-ce pas ?

Mma Ramotswe poussa un soupir. C'était le problème lorsqu'on se mêlait de ce genre de chose ; on se créait des obligations. Il y avait des rapports à faire. Le Dr Moffat remarqua sa contrariété.

— J'en toucherai un mot au ministre, promit-il. Ce sera plus facile ainsi.

Mma Ramotswe le remercia d'un sourire et but une gorgée de thé. Elle se demandait pourquoi un médecin éprouvait le besoin d'escroquer ses patients, alors que l'exercice légitime de sa profession lui assurait déjà une vie très confortable. Bien sûr, il avait peut-être des prêts importants à rembourser, des frais de scolarité à payer pour ses enfants ou des dettes à acquitter ; on ne pouvait jamais savoir. Ou alors, il avait besoin de fonds parce qu'une personne lui extorquait de l'argent. Le chantage menait parfois les gens à des sommets de désespoir. Et un médecin faisait une cible idéale pour un maître chanteur, à supposer qu'il ait un lourd secret à protéger… Cependant, toutes ces hypothèses semblaient improbables à Mma Ramotswe. Sans doute ne fallait-il voir là que de la cupidité, de la cupidité pure et simple. Un désir de posséder une Mercedes-Benz, par exemple. Un tel rêve pouvait conduire certains individus à accomplir toutes sortes de mauvaises actions.

CHAPITRE XVII

En attendant une visite

Lorsqu'elle pénétra dans les locaux que se partageaient le Tlokweng Road Speedy Motors et l'Agence N° 1 des Dames Détectives, le lendemain matin, Mma Ramotswe trouva Mr. Polopetsi allongé sous une voiture. Elle évitait toujours d'appeler un mécanicien lorsqu'il était dans cette position, car la surprise lui faisait relever la tête sans réfléchir, de sorte qu'il se cognait immanquablement. Elle se pencha donc vers lui et chuchota :

— *Dumela*, Rra. Avez-vous quelque chose à me dire ?

Mr. Polopetsi entreprit de s'extraire de sous la voiture, puis s'essuya les mains sur un chiffon.

— Oui, répondit-il avec enthousiasme. J'ai une nouvelle très intéressante pour vous.

— Vous avez trouvé Poppy ?

— Oui, je l'ai trouvée.

— Et vous lui avez parlé ?

— Oui, je lui ai parlé.

Mma Ramotswe le couvrit d'un regard interrogateur.

— Alors ?

— Je lui ai demandé si elle avait écrit à quelqu'un au sujet de ce qui s'était passé. C'est exactement ce que je lui ai demandé.

Mma Ramotswe sentit l'impatience la gagner.

— Allons, Mr. Polopetsi ! Dites-moi ce qu'elle vous a répondu !

Mr. Polopetsi leva un doigt pour esquisser l'un de ces gestes emphatiques qu'il affectionnait.

— Vous n'allez pas me croire, Mma Ramotswe. Vous ne devinerez jamais à qui elle a écrit.

Mma Ramotswe savoura le moment.

— À Tante Emang ? murmura-t-elle.

Mr. Polopetsi afficha une mine à la fois surprise et dépitée.

— C'est ça. Mais comment le savez-vous ?

— Une intuition, Mr. Polopetsi. Une intuition.

Elle affecta un ton neutre.

— Il se trouve qu'il m'arrive d'avoir des intuitions, expliqua-t-elle, et qu'elles se vérifient parfois. Quoi qu'il en soit, c'est une information très importante que vous m'apportez là. Elle vient confirmer ce que je pensais.

— Je ne comprends pas, fit Mr. Polopetsi.

— Je vais vous expliquer, Rra, répondit Mma Ramotswe en montrant du doigt la porte de l'agence. Venez dans mon bureau et je vous dirai exactement ce qui se passe et ce que nous allons faire.

Mma Makutsi et Mr. Polopetsi écoutèrent avec attention Mma Ramotswe leur exposer le fruit de ses réflexions dans l'affaire du chantage.

— Et maintenant, qu'allons-nous faire ? questionna ensuite Mma Makutsi. Nous connaissons la coupable. Faut-il prévenir la police ?

— Non, répondit Mma Ramotswe. Du moins, pas dans l'immédiat.

— Alors ? la pressa Mr. Polopetsi. Si nous allions trouver cette Tante Emang, qui qu'elle soit, pour lui parler ?

— Non, répliqua Mma Ramotswe. J'ai une meilleure idée. Nous allons la faire venir ici. À l'agence. Nous l'obligerons à s'asseoir sur cette chaise et à nous avouer ses détestables pratiques.

Mr. Polopetsi se mit à rire.

— Mais elle ne viendra jamais, Mma ! s'exclama-t-il. Pourquoi accepterait-elle de faire ça ?

— Oh si, elle va venir ! assura Mma Ramotswe. Mma Makutsi, j'aimerais vous dicter une lettre. Mr. Polopetsi, restez là et écoutez ce que j'ai à dire.

Mma Makutsi adorait écrire en sténo, d'autant que ses examinatrices de l'Institut de secrétariat du Botswana avaient décrit ses compétences en la matière comme « sans doute la meilleure sténo jamais vue dans toute l'histoire de l'Institut ».

— Vous êtes prête, Mma ? s'enquit Mma Ramotswe.

Elle se redressa et posa les coudes sur la table pour mettre de l'ordre dans ses idées. Elle avait conscience du regard attentif que posait sur elle un Mr. Polopetsi suspendu à ses lèvres. C'était un moment d'une extrême importance.

— La lettre, commença-t-elle, est à l'attention de Tante Emang, au journal. Début : « Chère Tante Emang, j'ai besoin de votre aide. Je sais que vous êtes toujours de très bon conseil et c'est pourquoi je vous écris. Je suis détective privée et je m'appelle Mma Ramotswe, de l'Agence N° 1 des Dames Détectives (mais s'il vous plaît, n'imprimez pas cela dans le journal, chère Tante, car je n'aimerais pas que l'on sache que je suis l'auteur de cette lettre). »

Elle marqua une pause, tandis que le crayon de Mma Makutsi continuait de filer sur la page du bloc-notes.

— Prête ! lança l'assistante.

— « Il y a quelques semaines, dicta Mma Ramotswe, j'ai rencontré une femme qui m'a raconté qu'on la faisait chanter, parce qu'elle volait de la nourriture au gouvernement afin de la donner à son mari. Je me suis d'abord demandé si cette femme ne mentait pas, mais elle m'a montré la lettre en question et j'ai compris qu'elle disait la vérité. Ce que j'ai découvert ensuite m'a beaucoup choquée. J'ai discuté avec une autre personne, qui m'a révélé que le maître chanteur était une femme qui travaillait dans votre journal ! À présent, je ne sais que faire de cette information. D'un côté, je me dis qu'il serait préférable de ne plus y penser et de me mêler de mes affaires. De l'autre, je me demande s'il ne faudrait pas transmettre le nom que l'on m'a donné à la police. J'hésite beaucoup et il me semble que vous êtes la personne la mieux placée pour me conseiller. S'il vous plaît, Tante Emang, pourriez-vous venir me voir à mon agence pour me dire ce que je dois faire ? Vous êtes la seule à qui j'aie parlé de cette histoire et j'ai confiance en votre jugement. Vous pouvez venir n'importe quel jour de la semaine avant cinq heures, heure à laquelle nous rentrons chez nous. Notre agence est installée dans les locaux du garage Tlokweng Road Speedy Motors, que vous ne pourrez manquer si vous prenez Tlokweng Road en direction de Tlokweng. Je vous attends. Votre amie sincère, Precious Ramotswe. »

Mma Ramotswe conclut par un grand geste.

— Voilà, dit-elle. Qu'en pensez-vous ?

— Formidable, Mma ! s'enthousiasma Mr. Polopetsi. Dois-je aller l'apporter tout de suite ? Au journal ?

— Oui, s'il vous plaît, acquiesça Mma Ramotswe. Et inscrivez « Urgent » sur l'enveloppe. Je pense que nous recevrons la visite de Tante Emang avant la fin de notre journée de travail.

— Je le crois aussi, approuva Mma Makutsi. Je vais la taper et vous n'aurez plus qu'à la signer. C'est une lettre intelligente, Mma. Peut-être la lettre la plus intelligente que vous ayez jamais écrite.

— Merci, Mma, répondit Mma Ramotswe.

Comme les heures s'écoulent lentement parfois ! pensait Mma Ramotswe.

Après avoir dicté la lettre destinée à Tante Emang, cette lettre dont elle était certaine qu'elle ferait sortir le maître chanteur de son antre, elle éprouva les plus grandes difficultés à s'absorber dans une tâche. Non qu'elle eût beaucoup de travail : deux ou trois enquêtes de routine attendaient certes d'être menées, mais elles nécessitaient d'aller rencontrer certaines personnes et Mma Ramotswe ne voulait pas quitter l'agence ce jour-là, de peur de manquer la visite de Tante Emang. Elle demeura donc assise derrière son bureau, à feuilleter des magazines d'un œil distrait. Mma Ramotswe adorait les magazines et ne pouvait résister aux séduisantes publications que proposait en permanence le kiosque du supermarché *Pick-and-Pay*. Elle aimait ceux qui combinaient les conseils pratiques (notamment pour la cuisine et le jardin) et des articles sur les faits et gestes des célébrités. Elle savait que ceux-ci ne devaient pas être pris au sérieux, mais ils se révélaient néanmoins agréables à lire, puisqu'ils s'apparentaient aux potins que l'on échangeait dans les petits magasins de Mochudi, ou avec des amies sur la véranda de l'*Hôtel Président*, ou même avec Mma Makutsi, lorsqu'il n'y avait rien à faire à l'agence. De telles nouvelles la fascinaient, car elles avaient trait à la vie quotidienne : le second mariage du gérant du cabinet d'assurances qui venait d'ouvrir au centre commercial, le petit ami peu fréquentable que s'était choisi la fille d'un homme politique très en vue, la promotion inattendue d'un haut gradé de l'armée et les minauderies de son épouse...

Elle tournait donc les pages de ses magazines. On y voyait le prince Charles en visite dans son usine de biscuits bio. Mma Ramotswe trouva cela très intéressant. Elle avait des idées bien arrêtées sur les gens qu'elle aimait et ceux qu'elle n'aimait pas. Elle aimait l'évêque Tutu, ainsi que cet homme aux cheveux en bataille qui chantait pour les affamés. Elle aimait le prince Charles, et l'on voyait en photo une boîte de ces biscuits spéciaux qu'il vendait au profit de ses œuvres de charité. En la regardant, elle se demanda quel goût ils pouvaient bien avoir. Elle songea qu'ils seraient sans doute parfaits pour accompagner le thé rouge et elle s'imagina en garder un paquet sur son bureau en permanence, afin que Mma Makutsi et elle-même puissent y puiser à volonté. Aussitôt, elle se souvint qu'elle était au régime et son estomac lui adressa un brusque message de déception et de manque. Elle continua à feuilleter le magazine. Il y avait une photo du pape, qui descendait d'hélicoptère en retenant sa calotte blanche, que le vent menaçait d'emporter. Deux cardinaux vêtus de rouge le suivaient, et elle remarqua qu'ils étaient l'un comme l'autre de constitution très traditionnelle, ce qu'elle trouva rassurant. Si je vois Dieu un jour, se dit-elle, je suis certaine qu'il ne sera pas maigre…

À midi, Charlie, l'aîné des apprentis, entra pour demander un prêt à Mma Makutsi.

— Maintenant que vous avez un mari riche, lança-t-il, vous avez de quoi me prêter de l'argent.

Mma Makutsi le couvrit d'un regard désapprobateur.

— D'abord, Phuti Radiphuti n'est pas encore mon mari, rétorqua-t-elle. Et deuxièmement, il n'est pas si riche que ça. Il a assez d'argent, c'est tout.

— Eh bien, il faut qu'il vous en donne un peu, Mma, insista Charlie. Et s'il vous en donne, ça ne vous dérangera pas beaucoup de me donner, à moi, huit cents pula.

— Huit cents pula ! s'exclama Mma Makutsi. Mais que veux-tu faire d'une telle somme ? C'est beaucoup d'argent, n'est-ce pas, Mma Ramotswe ?

Tout en prononçant ces paroles, elle s'était tournée vers Mma Ramotswe, en quête de soutien.

— Oui, acquiesça celle-ci. Pour quoi en as-tu besoin, Charlie ?

L'intéressé parut gêné.

— C'est pour offrir un cadeau à ma petite amie, expliqua-t-il. Je voudrais lui acheter quelque chose.

— Ta petite amie ! s'écria Mma Makutsi. Voilà une nouvelle intéressante ! Je pensais que vous autres, les garçons, vous ne restiez jamais suffisamment longtemps avec la même fille pour pouvoir la qualifier de « petite amie » ! C'est une nouvelle très importante !

Charlie lui décocha un coup d'œil chargé de ressentiment et détourna la tête.

— Et que comptes-tu lui acheter ? reprit Mma Makutsi. Une bague en diamants ?

Charlie baissa les yeux. Il avait les mains derrière le dos, comme un homme comparaissant devant un tribunal, et Mma Ramotswe ressentit envers lui un soudain élan de sympathie. Mma Makutsi pouvait se montrer dure avec les apprentis, à l'occasion. Pourtant, même s'ils étaient des incapables la plupart du temps, ils n'en avaient pas moins leurs sentiments et Mma Ramotswe n'aimait pas les voir humiliés.

— Parle-moi de cette fille, Charlie, dit-elle. Je suis sûre qu'elle est très jolie. Que fait-elle dans la vie ?

— Elle travaille dans une boutique de mode répondit Charlie. Elle a un bon poste.

— Et tu la connais depuis longtemps ? s'enqui encore Mma Ramotswe.

— Trois semaines, répondit Charlie.

— Bon, intervint Mma Makutsi. Alors, ce cadeau C'est une bague ?

La question avait été posée sur le mode humoristique, aussi Mma Makutsi n'était-elle pas préparée à la réponse.

— Oui, dit Charlie. C'est une bague.

Le silence envahit la pièce. Au-dehors, dans la chaleur du jour, les cigales produisaient leur chant d'amour ininterrompu. À cette heure de la journée, le monde s'était immobilisé sous la chaleur et tout mouvement semblait vain, perturbation indésirable. C'était le moment idéal pour rester à ne rien faire, à attendre simplement que les ombres s'allongent et que l'après-midi fraîchisse.

Mma Makutsi parla à mi-voix.

— Trois semaines… ce n'est pas un peu tôt pour acheter une bague à quelqu'un ? Trois semaines…

Charlie releva les yeux et posa sur elle un regard intense.

— Vous ne pouvez pas comprendre, Mma ! Vous ne savez pas ce que c'est que d'être amoureux. Moi, je suis amoureux, et je sais de quoi je parle.

Mma Makutsi chancela sous le choc.

— Je suis désolée… commença-t-elle.

— Vous, vous n'imaginez pas que je puisse avoir des sentiments, poursuivit Charlie. Vous ne faites que vous moquer de moi, tout le temps. Vous croyez que je ne le sais pas ? Que je ne m'en rends pas compte ?

Mma Makutsi leva la main en un geste apaisant.

— Écoute, Charlie, tu ne peux pas dire que…

— Si, je peux ! coupa Charlie. Les garçons aussi ont parfois des sentiments ! Je ne veux pas des huit cents pula. Je n'en accepterais même pas deux de vous ! Même si vous vouliez me les donner, je ne les prendrais pas. Espèce de phacochère !

Mma Ramotswe se leva d'un bond à ces mots.

— Charlie ! Tu ne dois pas traiter Mma Makutsi de phacochère ! Tu l'as déjà fait une fois. Je ne le permettrai pas ! Il va falloir que j'en parle à Mr. J.L.B. Matekoni.

Le jeune homme se dirigea vers la porte.

— C'est la vérité, pourtant. Cette femme est un phacochère. Je ne comprends pas pourquoi ce Radiphuti veut épouser un phacochère. Peut-être parce que c'en est un lui aussi.

Dès trois heures de l'après-midi, Mma Ramotswe n'avait cessé de consulter sa montre avec une anxiété croissante. Elle commençait à se demander si l'hypothèse sur laquelle elle avait fondé sa lettre à Tante Emang n'était pas erronée. Rien ne prouvait en effet que celle-ci fût le maître chanteur ; il ne s'agissait que de conjectures. Beaucoup de choses le laissaient penser, bien sûr, mais ces choses pouvaient tout aussi bien s'appliquer à d'autres situations, sans pour cela constituer la bonne explication. Si Tante Emang n'était pas le maître chanteur, elle traiterait la lettre comme elle traitait celles de tous les autres lecteurs, et il y avait peu de chances qu'elle prît la peine de se déplacer jusqu'à l'agence. Mma Ramotswe posa de nouveau les yeux sur sa montre. Le bouleversement provoqué par la scène de Charlie ce matin-là s'était apaisé et il ne restait rien d'autre à espérer, désormais, que deux heures d'attente inutile.

Peu avant cinq heures, alors que Mma Ramotswe, à contrecœur, se résignait à penser qu'elle avait fait fausse route, Mma Makutsi, qui, de son bureau, avait une meilleure vue sur l'extérieur, s'anima soudain :

— Une voiture, Mma Ramotswe ! Une voiture ! siffla-t-elle.

Aussitôt, Mma Ramotswe rangea les magazines qui encombraient son bureau et déposa avec précaution sa tasse de thé rouge dans le tiroir supérieur.

— Allez à sa rencontre, commanda-t-elle. Mais d'abord, demandez à Mr. Polopetsi de venir.

Mma Makutsi obéit, puis se dirigea vers l'acacia, sous lequel le véhicule s'était immobilisé. C'était une voiture de luxe, remarqua-t-elle. Pas une Mercedes-Benz, mais presque. Elle s'en approcha et aperçut une femme étonnamment petite, voire minuscule, qui en descendait. Tendant le cou, Mma Ramotswe la vit aussi et regarda avec une immense attention Mma Makutsi se pencher vers la femme pour lui parler.

— Elle est très petite, chuchota-t-elle à Mr. Polopetsi. Regardez-la !

La bouche de Mr. Polopetsi s'entrouvrit sous l'effet de la stupéfaction.

— Regardez-la ! répéta-t-il en écho. Regardez-la !

Un instant plus tard, Mma Makutsi introduisait la nouvelle venue dans le bureau. Mma Ramotswe se leva pour l'accueillir, ce qu'elle fit poliment, avec la traditionnelle courtoisie setwana. Après tout, cette femme était son invitée, même si elle se livrait au chantage.

Tante Emang promena autour d'elle un regard désinvolte, voire dédaigneux.

— Alors c'est ça, l'Agence N° 1 des Dames Détectives ! s'exclama-t-elle. J'en avais entendu parler, mais je ne l'imaginais pas aussi petite…

Mma Ramotswe désigna le siège des clients sans répondre.

— Asseyez-vous, je vous en prie, dit-elle. Je pense que vous êtes Tante Emang, je ne me trompe pas ?

— Non, répondit la femme. C'est bien ça. Je suis Tante Emang. Et vous, vous êtes cette… Precious Ramotswe ?

Elle avait une voix nasillarde et haut perchée, semblable à celle d'une fillette. Ce n'était pas une voix agréable à écouter, et le fait qu'elle émanait d'une si petite personne la rendait encore plus déconcertante.

— Oui, Mma, acquiesça Mma Ramotswe. Et je vous présente Mma Makutsi et Mr. Polopetsi. Tous deux travaillent avec moi.

Tante Emang se tourna un bref instant vers les intéressés, qui se tenaient près d'elle, puis hocha la tête avec brusquerie. Mma Ramotswe la regardait, fascinée de la voir si petite. Elle ressemble à une poupée, pensait-elle. Une petite poupée malveillante.

— Parlons de cette lettre que vous m'avez écrite, commença Tante Emang. Je suis venue ici parce que je n'aime pas voir des gens se faire du souci. C'est mon travail de les aider à affronter leurs problèmes.

Mma Ramotswe l'observa. L'étroit visage de la visiteuse, avec ses yeux aux paupières tombantes qui semblaient lancer des flèches, restait impassible, mais il y avait quelque chose de troublant dans le regard. Le mal, pensa-t-elle. Voilà ce que je vois : le mal. Elle ne l'avait rencontré qu'à deux ou trois reprises au cours de son existence, et à chaque fois, elle l'avait reconnu. La plupart des défauts humains n'étaient rien d'autre que cela – des défauts – mais le mal, lui, allait bien au-delà.

— Cette personne qui prétend connaître un maître chanteur raconte n'importe quoi, poursuivit la visiteuse. Je ne pense pas qu'il faille prendre ses affirmations au sérieux. Vous savez, les gens inventent tout le temps des histoires. Je le constate chaque jour dans mon travail.

— Vraiment ? fit Mma Ramotswe. Voyez-vous, des histoires, j'en entends beaucoup dans mon travail, moi aussi, et certaines d'entre elles sont véridiques.

Tante Emang ne cilla pas. Sans doute ne s'était-elle pas attendue à une réponse aussi affirmée. Cette femme, cette grosse femme, devrait donc être abordée différemment.

— Bien sûr, répliqua Tante Emang. Bien sûr, vous avez raison. Certaines de ces histoires sont vraies. Mais qu'est-ce qui vous fait penser que celle-ci l'est ?

— Parce que je fais confiance à la personne qui me l'a racontée, expliqua Mma Ramotswe. Je pense qu cette personne me dit la vérité. Elle n'est pas du genre à inventer n'importe quoi.

— Dans ce cas, reprit Tante Emang, pourquoi m'avoir écrit pour me demander conseil ?

Mma Ramotswe saisit un crayon posé sur son bureau et le fit doucement tournoyer entre ses doigts. Mma Makutsi suivit ce geste des yeux et sut qu'il allait se passer quelque chose : c'était une habitude qu'avait Mma Ramotswe lorsqu'elle s'apprêtait à faire une révélation. Elle décocha un discret coup de coude à Mr. Polopetsi.

— Je vous ai écrit, déclara Mma Ramotswe, parce que le maître chanteur, c'est vous. Voilà pourquoi.

Mr. Polopetsi, qui ne perdait pas une goutte de l'échange, vacilla légèrement et, l'espace d'un instant, crut qu'il allait s'évanouir. C'était ce genre de moment qu'il imaginait chaque fois qu'il songeait au métier de détective : celui du dénouement, lorsque le coupable se voyait démasqué et qu'était révélé le complexe cheminement de déduction du détective. *Oh, Mma Ramotswe*, pensa-t-il, *quelle femme exceptionnelle vous êtes !*

Tante Emang n'esquissa pas un geste ; impassible, elle ne quittait pas son accusatrice du regard. Lorsqu'elle prit la parole, sa voix parut plus aiguë encore qu'auparavant. Elle débuta par un claquement de langue insolite, semblable à un bruit de clapet.

— Vous mentez, espèce de grosse femme !

— Vraiment ? rétorqua Mma Ramotswe. Dans ce cas, je vais vous fournir des détails. D'abord, il y a Mma Tsau, la femme qui vole de la nourriture. Vous l'avez fait chanter, parce qu'elle peut perdre sa place si quelqu'un la dénonce. Ensuite, il y a le Dr Lubega. Vous avez découvert des choses sur lui et sur son passé en Ouganda. Enfin, cet homme qui avait une liaison et qui redoutait que sa femme ne s'en aperçoive…

Elle marqua un bref temps d'arrêt, avant de conclure :

— Et j'ai tous les détails de nombreuses autres affaires dans ce dossier.

Tante Emang jura.

— Le Dr Lubega ? Qui est ce Dr Lubega ? Je ne connais personne de ce nom !

Mma Ramotswe jeta un coup d'œil à Mma Makutsi et sourit.

— Vous venez de me démontrer que je ne me trompais pas, dit-elle. Vous l'avez confirmé.

Tante Emang se leva de sa chaise.

— Vous ne pouvez rien prouver, Mma. La police va vous rire au nez !

Mma Ramotswe s'adossa à son siège et reposa le crayon. Quelles pensées aurais-je, se demanda-t-elle, à la place de cette femme ? Comment réfléchit-on quand on est assez cruel pour faire chanter des gens qui ont peur et sont coupables ? La réponse lui vint aussitôt à l'esprit : *la haine*. Quelque part, un mal avait été commis, un mal lié à ce qu'elle était, peut-être, et qui l'avait fait basculer dans le désespoir et la haine. Et c'était la haine qui l'avait poussée à accomplir ces actes malfaisants.

— En effet, je ne peux rien prouver. Du moins, pour le moment. Mais je tiens à vous dire une chose, Mma, et je veux que vous y réfléchissiez bien. Il n'y aura plus de Tante Emang pour vous. Vous allez devoir gagner votre vie d'une autre façon. Si Tante Emang continue, je me donnerai pour objectif – et pas seulement moi, mais aussi Mma Makutsi, qui est là et qui accomplit un travail d'investigation remarquable, et Mr. Polopetsi, qui est un homme d'une grande intelligence –, nous nous donnerons tous les trois pour objectif de découvrir ces preuves dont nous ne disposons pas encore. M'avez-vous bien comprise ?

Tante Emang se détourna légèrement et, l'espace d'un instant, tous crurent qu'elle allait se lever et quitter la pièce en trombe sans ajouter un mot. Elle ne le fit pas, toutefois. Son regard se posa d'abord sur Mma Makutsi et sur Mr. Polopetsi, puis revint sur Mma Ramotswe.

— Oui, dit-elle.

— Vous l'avez laissée partir, se désola Mma Makutsi quelques minutes plus tard, alors qu'ils discutaient tous ensemble de ce qui venait d'arriver.

Mr. J.L.B. Matekoni les avait rejoints. Il avait terminé son travail au garage et assisté au départ furieux de Tante Emang – ou plutôt, de l'ex-Tante Emang – au volant de sa voiture de luxe.

— Je n'avais guère le choix, expliqua Mma Ramotswe. Elle avait raison de dire que nous ne disposons d'aucune preuve. Je ne pense pas que nous aurions pu faire davantage.

— Mais vous aviez d'autres affaires de chantage à lui reprocher, protesta Mr. Polopetsi. Vous aviez ce docteur, et puis cet homme qui trompait sa femme.

— Celle de l'homme qui trompait sa femme, je l'ai inventée, avoua Mma Ramotswe. Mais j'ai pensé qu'il y avait de grandes chances qu'elle ait fait chanter un tel individu. C'est très courant. Et je ne pense pas m'être trompée, puisqu'elle ne m'a pas contredite, ce qui prouve qu'elle est bel et bien notre maître chanteur. En revanche, je ne crois pas qu'elle connaisse le Dr Lubega. À mon avis, si cet homme a besoin d'argent, c'est juste parce qu'il aime le luxe.

— Je ne comprends pas bien tout ce que vous dites, intervint Mr. J.L.B. Matekoni. J'ignore qui est ce médecin.

Mma Ramotswe consulta sa montre. Il était l'heure de rentrer, car elle devait préparer le dîner et cela prenait du temps. Ils quittèrent donc le bureau et, après avoir dit au revoir à Mr. Polopetsi, Mr. J.L.B. Matekoni et elle-même ramenèrent Mma Makutsi chez elle dans le camion de Mr. J.L.B. Matekoni.

Pour une fois, décréta Mma Ramotswe, la petite four-gonnette blanche pouvait rester au garage. Personne ne serait tenté de voler un tel véhicule. Elle était la seule à pouvoir l'aimer.

Sur le chemin du retour, elle remarqua que Mma Makutsi ne portait pas ses nouvelles chaussures bleues. Leur avait-elle accordé une journée de repos ?

— Il ne faut pas mettre les mêmes chaussures tous les jours, commenta-t-elle. C'est bien connu.

Mma Makutsi sourit. Elle éprouvait un certain embarras, mais dans l'intimité chaleureuse du camion, et en un moment comme celui-ci, après l'épreuve de force riche en émotions à laquelle elle venait d'assister, elle eut le sentiment qu'elle pouvait parler chaussures en toute liberté.

— Elles sont un peu étroites pour moi, Mma, confessa-t-elle. Je crois que vous aviez raison. Mais j'ai ressenti malgré tout un bonheur intense en les portant et ça, je m'en souviendrai toute ma vie. Elles sont si belles !

Mma Ramotswe se mit à rire.

— Eh bien, c'est cela qui importe, n'est-ce pas, Mma ? Vivre un moment de bonheur, et s'en souve-nir ensuite.

— Je crois que vous avez raison, acquiesça Mma Makutsi.

Le bonheur était insaisissable. Il pouvait tenir à une belle paire de chaussures parfois, mais aussi à bien d'autres choses : à un pays. À un peuple. Ou à des amis comme ceux qu'elle avait...

Le lendemain était un samedi, jour préféré de Mma Ramotswe, parce qu'elle pouvait rester à ne rien faire et passer en revue les événements de la semaine. Les sujets de réflexion ne manquaient pas et il y avait en outre de bonnes raisons de se réjouir que la semaine fût achevée. Mma Ramotswe n'aimait pas la confron-

tation – ce n'était pas une pratique que l'on affectionnait au Botswana – et, pourtant, il y avait des
moments où l'on ne pouvait l'éviter. Il en avait été
ainsi quand son premier mari, l'égoïste et violent
Note Mokoti, était revenu la trouver sans crier gare et
avait tenté de lui extorquer de l'argent. Cette
confrontation l'avait éprouvée, mais elle y avait fait
face et Note était reparti vers son univers d'amertume
et de défiance. La rencontre l'avait laissée faible et
les nerfs à vif, comme on l'est souvent après une dispute. Il était tellement préférable d'éviter les conflits,
à condition que cela ne revienne pas à fuir la réalité !
Et c'était là que résidait toute la difficulté, bien sûr.
Si elle ne s'était pas décidée à affronter Tante
Emang, le chantage aurait continué, car personne
d'autre ne serait allé tenir tête à la petite femme.
C'était donc à Mma Ramotswe qu'il revenait de le
faire, et Tante Emang s'était effondrée de la même
façon qu'une vieille hutte, faite d'herbe à éléphant et
dévorée par les fourmis, s'écroule dès que l'on touche à ses fragiles parois.

Assise sur sa véranda, elle contemplait à présent
son jardin. Elle était seule à la maison. Mr. J.L.B.
Matekoni avait emmené Puso et Motholeli rendre
visite à l'une de ses tantes et ils ne rentreraient qu'en
fin d'après-midi ou, plus probablement, dans la soirée. Cette tante, connue pour sa loquacité, avait toujours de longues histoires à raconter. Peu importait
qu'on les ait déjà entendues – on les connaissait toutes –, elles seraient répétées ce jour-là, en détail,
jusqu'à ce que le soleil descende sur le Kalahari et
que le ciel se teinte de rouge. Il était toutefois
important, pensait Mma Ramotswe, que les enfants
connaissent cette tante-là, car elle avait beaucoup à
leur apprendre. Elle savait en particulier comment on
renouvelle le sol de terre battue d'une bonne maison
traditionnelle, un art qui se perdait. Les enfants

l'aidaient parfois dans cette tâche, même s'ils ne devaient jamais vivre, pour leur part, dans une telle maison, car ces habitations disparaissaient peu à peu et n'étaient pas remplacées. Et tout ce qui se rattachait à elles, les histoires, l'amour et l'attention à autrui, le besoin de reproduire les gestes que nos ancêtres avaient effectués au fil des ans, risquait de disparaître aussi, pensait Mma Ramotswe.

Elle leva les yeux vers le ciel, vide comme à son habitude. Dans quelques jours cependant, ou même avant, peut-être, viendrait la pluie. De lourds nuages se formeraient et donneraient au ciel une couleur mauve, puis il y aurait des éclairs et cette brève, délicieuse odeur emplirait l'air, l'odeur de la pluie tant attendue qui mettait du baume au cœur. Elle reposa son regard sur le jardin, sur la végétation desséchée qu'elle avait pris tant de soin à entretenir pour lui faire traverser la saison sèche et qui n'avait survécu que grâce aux infimes doses d'eau qu'elle lui avait prodiguées chaque matin et chaque soir, réparties autour des racines. Une si petite quantité d'eau, absorbée si vite qu'il semblait peu probable qu'elle pût faire la différence sous l'implacable soleil. Elle avait accompli son œuvre malgré tout, et les plantes conservaient dans leurs feuillages un peu de vert au milieu du brun. Lorsque arriveraient les pluies, bien sûr, tout serait différent, et le brun qui recouvrait la terre, les arbres et l'herbe chétive, céderait la place au vert, à la croissance, aux vrilles qui s'allongeraient, aux feuilles qui s'ouvriraient. Tout cela se passerait si vite que l'on pourrait se coucher un soir entouré de sécheresse et se réveiller le lendemain dans un paysage de flaques d'eau scintillantes et de bétail au pelage luisant rincé par la pluie.

Mma Ramotswe s'enfonça dans son fauteuil et ferma les yeux. Elle savait qu'il existait des endroits où le monde restait toujours vert et luxuriant, où l'eau ne signifiait rien parce qu'elle se trouvait là en permanence, où le bétail n'était jamais ni maigre ni apathique. Elle savait cela. Pourtant, elle ne souhaitait pas vivre en de tels lieux, car ce ne serait pas le Botswana ou, du moins, pas sa région à elle du Botswana. Plus au nord, ils avaient tout cela : près de Maun, dans le Delta, là où la rivière coulait dans le mauvais sens, vers le cœur du pays. Elle s'y était plusieurs fois rendue, mais les cours d'eau claire et les vastes étendues de forêts de mopanes et d'herbes hautes l'avaient déconcertée. Cela lui avait fait plaisir pour ces gens, qui vivaient entourés d'eau, mais elle avait eu le sentiment que là n'était pas sa place. Mma Ramotswe était du Sud, du Sud aride.

Non, jamais elle n'échangerait ce qu'elle avait contre quoi que ce fût d'autre. Elle resterait Mma Ramotswe, de Gaborone, épouse de Mr. J.L.B. Matekoni, du Tlokweng Road Speedy Motors, et fille du défunt Obed Ramotswe, mineur à la retraite et fin juge du bétail, l'homme auquel elle songeait chaque jour, vraiment chaque jour, et dont elle entendait si souvent la voix lorsqu'elle cherchait à se souvenir de ce qu'était la vie jadis. Dieu l'avait couverte de présents, pensait-elle. Il avait fait d'elle une Motswana, une citoyenne de ce beau pays qui avait su respecter la mémoire de Sir Seretse Khama, le grand homme d'État, si digne en cette fameuse nuit où l'on avait hissé le nouveau drapeau et où le Botswana était venu au monde. Lorsque, petite, elle avait entendu cette histoire et vu des photographies de ce mémorable instant, elle s'était imaginé que, cette nuit-là, le monde entier avait suivi l'événement et partagé les sentiments de son peuple. Elle savait à présent qu'elle s'était trompée, que cela n'avait intéressé personne, ou seulement quelques rares individus. Le monde n'avait jamais prêté attention aux petites nations comme le Botswana, où tout allait bien, où les gens ne se querellaient pas et ne se voulaient aucun mal. Lentement, toutefois, il avait vu, lentement, il avait fini par prendre connaissance du secret et, désormais, il commençait à comprendre.

Elle rouvrit les yeux. La vieille camionnette de Mma Potokwane s'était immobilisée devant la grille et la directrice s'extirpait du siège conducteur. Elle batailla un instant contre le loquet du portail. C'était le samedi matin que Mma Potokwane avait coutume de venir voir Mma Ramotswe, généralement pour lui demander d'envoyer Mr. J.L.B. Matekoni réparer quelque chose à la ferme des orphelins. Toutefois, de telles visites restaient rares. À présent, la grille était grande ouverte et Mma Potokwane reprenait place au volant pour s'engager dans la courte allée de la maison. Mma Ramotswe sourit lorsque la visiteuse se gara sur l'emplacement ombragé qu'utilisait d'ordinaire Mr. J.L.B. Matekoni pour son camion. Mma Potokwane se débrouillait toujours pour trouver le meilleur endroit où se garer, tout comme on pouvait compter sur elle pour toujours obtenir le meilleur arrangement possible en faveur des enfants dont elle s'occupait.

— Eh bien, Mma, déclara Mma Ramotswe à la nouvelle venue lorsqu'elles se furent saluées, vous êtes venue me voir. Cela tombe bien, parce que j'étais là à ne rien faire et sans personne à qui parler. Tout va changer, maintenant.

Mma Potokwane se mit à rire.

— Mais réfléchir est votre spécialité ! s'exclama-t-elle. Peu importe s'il n'y a personne avec vous, vous pouvez penser...

— Vous aussi, répliqua Mma Ramotswe. Vous aussi, vous avez un cerveau.

Mma Potokwane leva les yeux au ciel.

— Mon pauvre cerveau n'est pas aussi performant que le vôtre, Mma Ramotswe, affirma-t-elle. Tout le monde sait cela. Vous êtes une femme très intelligente.

Mma Ramotswe signifia son désaccord d'un geste. Elle savait Mma Potokwane très astucieuse et, comme toutes les personnes astucieuses, la directrice restait discrète sur ses talents.

— Rejoignez-moi sur la véranda, proposa-t-elle. Je vais nous préparer du thé.

Une fois son invitée installée, elle gagna la cuisine. Elle souriait encore en mettant la bouilloire à chauffer. Certains individus étaient sans surprise, songeait-elle. Ils se conduisaient exactement comme on s'y attendait. Mma Potokwane commencerait par parler de choses et d'autres pendant une dizaine de minutes, puis elle en viendrait à sa requête. Il y aurait sans doute une machine en panne à la ferme des orphelins. Est-ce que, par hasard, Mr. J.L.B. Matekoni serait libre – elle ne lui demandait pas de venir sur-le-champ, bien sûr – pour y jeter un coup d'œil ? Mma Ramotswe songeait à cela en attendant que l'eau bouille, puis elle se dit soudain : *Et moi, je suis tout aussi prévisible que Mma Potokwane. Mma Makutsi, sans aucun doute, est capable d'anticiper ce que je vais dire ou faire avant même que j'aie ouvert la bouche.* Cela donnait à réfléchir. L'assistante n'avait-elle pas évoqué son habitude de citer Seretse Khama à tout bout de champ ? *Est-ce que je fais vraiment cela ? Peut-être*, reconnut Mma Ramotswe, *mais toujours est-il qu'à son époque Seretse Khama a dit beaucoup de choses et il est normal que je cite un grand homme comme celui-là.*

Contrairement à ses prévisions, Mma Potokwane entra dans le vif du sujet dès que Mma Ramotswe fut revenue sur la véranda, chargée du thé rouge fumant.

— Cette secrétaire que vous avez, commença-t-elle. Celle qui porte les grosses lunettes...

— Elle s'appelle Mma Makutsi, précisa Mma Ramotswe d'un ton ferme.

Il y avait eu un certain nombre de petites altercations entre Mma Makutsi et Mma Potokwane. Celle-ci connaissait le nom de l'assistante, pensa Mma Ramotswe. Elle le connaissait.

— Oui, bien sûr, répondit Mma Potokwane. Mma Makutsi. C'est ça.

Il y eut un court silence, puis elle poursuivit :

— J'ai appris qu'elle s'était fiancée. Cela doit être triste pour vous, Mma, parce qu'une fois mariée elle ne voudra sans doute plus travailler. D'ailleurs, j'ai pensé que vous aimeriez peut-être engager une jeune fille de la ferme des orphelins, qui vient d'achever sa formation à l'Institut de secrétariat du Botswana. Je pourrais vous l'envoyer dès la semaine prochaine...

Mma Ramotswe l'interrompit.

— Mais Mma Makutsi n'a aucune intention d'abandonner son travail à l'agence, Mma ! protesta-t-elle. Et puis, elle est assistante détective, vous savez. Ce n'est pas une simple secrétaire.

Mma Potokwane digéra l'information en silence, puis hocha la tête.

— Je vois. Alors, vous n'avez pas de travail pour elle ?

— Non, Mma. Je suis désolée.

Mma Potokwane sirota une gorgée de thé.

— Bon, dit-elle. Ce n'est pas grave. Je demanderai à quelqu'un d'autre. Je suis certaine que cette jeune fille trouvera vite une place quelque part. Elle est excellente. Elle n'a rien à voir avec toutes ces filles qui ne pensent qu'aux garçons...

Mma Ramotswe se mit à rire.

— Cela vaut mieux, Mma.

Elle regarda la visiteuse. L'une des qualités qui lui plaisaient chez Mma Potokwane était son entrain. Le fait qu'elle n'ait pas obtenu satisfaction dans sa requête ne gâchait en rien sa bonne humeur. Les autres occasions ne manqueraient pas.

La conversation dériva vers différents sujets. Mma Potokwane avait une nièce qui réussissait très bien en musique – elle jouait du piano – et elle espérait lui obtenir une place au camp de musique de David Slater. Mma Ramotswe écouta tout ce que son amie avait à dire sur la question, puis sur les problèmes que son frère rencontrait avec son bétail, qui avait mal supporté la saison sèche. Deux bêtes avaient en outre été dérobées, pour réapparaître peu de temps après dans un autre troupeau, sous un nouveau nom. C'était une chose terrible qui était arrivée là – ne trouvez-vous pas, Mma Ramotswe ? – et l'on aurait pu penser que la police locale réglerait sans peine une telle affaire. Il n'en avait rien été, expliqua Mma Potokwane. La police avait cru l'histoire servie par le propriétaire du troupeau où s'étaient retrouvées les deux vaches. Il n'y avait rien de plus facile que d'abuser les autorités, conclut Mma Potokwane. Avec elle, les choses ne se seraient pas passées comme ça...

La conversation aurait pu se prolonger encore un bon moment sur le même ton, sans l'arrivée soudaine d'un nouveau véhicule, une grosse camionnette verte cette fois, qui s'engagea habilement dans l'allée par la grille restée ouverte et s'arrêta juste devant la véranda. Intriguée, Mma Ramotswe se leva pour identifier ses visiteurs. Au même moment, un homme sortit du véhicule et la salua chaleureusement.

— Je viens livrer un fauteuil, annonça-t-il. Où faut-il le mettre ?

Mma Ramotswe fronça les sourcils.

— Je n'ai pas commandé de fauteuil, répondit-elle. Vous devez vous tromper d'adresse.

— Ah ? fit l'homme en sortant une feuille de papier de sa poche. Ce n'est pas ici qu'habite Mr. J.L.B. Matekoni ?

— Si, répondit Mma Ramotswe. Seulement...

— Dans ce cas, c'est la bonne maison, coupa l'homme. Mr. J.L.B. Matekoni a acheté un fauteuil l'autre jour. Il est prêt. Mr. Radiphuti m'a dit de le livrer.

Ainsi, songea Mma Ramotswe, Mr. J.L.B. Matekoni était allé faire tout seul ses petites emplettes ! Elle pouvait difficilement renvoyer le livreur. Elle hocha donc la tête et fit un signe en direction de la porte, derrière elle.

— Dans ce cas, mettez-le là-bas, au salon, s'il vous plaît, dit-elle. Ce sera sa place.

Tandis que le livreur passait devant les deux femmes chargé du meuble, Mma Potokwane émit un sifflement admiratif.

— C'est un fauteuil magnifique, Mma ! s'exclama-t-elle. Mr. J.L.B. Matekoni a fait un très bon choix.

Mma Ramotswe ne répondit rien. Elle n'osait imaginer le prix d'un tel siège et se demandait quelle mouche avait piqué Mr. J.L.B. Matekoni. Eh bien, soit ! Ils en discuteraient ce soir-là, lorsqu'il rentrerait. Il faudrait qu'il s'explique.

Se retournant vers Mma Potokwane, elle s'aperçut que son amie l'observait et guettait sa réaction.

— Je suis désolée, Mma, dit-elle. C'est juste qu'il ne m'a pas consultée. Il fait ce genre de chose de temps à autre. Ce fauteuil a dû coûter une fortune.

— Ne soyez pas trop dure avec lui, répondit Mma Potokwane. Cet homme a un cœur d'or. Ne mérite-t-il pas de se reposer dans un bon fauteuil ? Ne mérite-t-il pas un peu de confort, avec tout ce travail qu'il abat ?

Mma Ramotswe se rassit. C'était vrai. Si Mr. J.L.B. Matekoni désirait un fauteuil confortable, il y avait droit. Elle regarda son amie. Peut-être s'était-elle montrée trop sévère dans l'opinion qu'elle s'était faite de Mma Potokwane : celle-ci venait de prendre la défense de Mr. J.L.B. Matekoni d'une manière totalement désintéressée, louant son opiniâtreté au travail. C'était une femme pleine d'égards pour autrui.

— Si, répondit Mma Ramotswe. Vous avez raison, Mma Potokwane. Voilà déjà longtemps que Mr. J.L.B. Matekoni s'assoit tous les soirs dans un vieux fauteuil. Il en mérite un neuf. Vous avez tout à fait raison.

Il y eut un silence. Puis Mma Potokwane reprit la parole :

— Dans ce cas, déclara-t-elle, pensez-vous pouvoir donner son vieux fauteuil à la ferme des orphelins ? Nous en aurions l'utilité et ce serait très gentil à vous, Mma, d'autant que vous n'en avez plus besoin.

Mma Ramotswe ne put qu'acquiescer. Avec tristesse, elle constatait que, tout compte fait, Mma Potokwane avait quand même réussi à lui soutirer quelque chose. Soit, c'était pour la ferme des orphelins, la meilleure cause qui fût ! Elle poussa un soupir, discret, mais assez manifeste pour qu'il n'échappe pas à Mma Potokwane, et donna son accord. Elle proposa ensuite à son invitée une nouvelle tasse de thé, offre qui fut aussitôt acceptée.

— J'ai apporté du gâteau, ajouta Mma Potokwane en se baissant pour prendre le sac posé à ses pieds. J'ai pensé que cela vous ferait plaisir.

Elle ouvrit le sac et en sortit un gros morceau de cake aux fruits soigneusement enveloppé dans du papier sulfurisé. Suspendue à ses gestes, Mma Ramotswe la regarda le diviser en deux parts généreuses, qu'elle posa devant chacune d'elles, le papier faisant office d'assiettes.

— C'est très aimable à vous, Mma, murmura-t-elle alors, mais je crois que je vais devoir refuser. Voyez-vous, je suis au régime, en ce moment.

Prononcés sans grande conviction, ces mots avaient faibli en fin de phrase. Mais Mma Potokwane avait entendu et relevé la tête avec vivacité.

— Mma Ramotswe ! s'exclama-t-elle. Si vous vous mettez au régime, qu'allons-nous devenir, nous autres ? Que vont faire les femmes de constitution traditionnelle quand elles apprendront ça ? Comment pouvez-vous vous montrer aussi cruelle ?

— Cruelle ? s'étonna Mma Ramotswe. Je ne vois pas en quoi je suis cruelle...

— Pourtant, vous l'êtes, confirma Mma Potokwane. Les gens ne cessent de répéter aux personnes de constitution traditionnelle qu'elles doivent manger moins. Pour elles, la vie est souvent un enfer. Or, vous êtes une femme de constitution traditionnelle très célèbre. Si vous vous mettez au régime, les autres se sentiront coupables. Elles penseront qu'elles doivent elles aussi maigrir, et cette idée leur empoisonnera l'existence.

Sur ces mots, Mma Potokwane poussa un morceau de gâteau devant Mma Ramotswe.

— Vous devez manger ceci, Mma, conclut-elle. Et moi, je mangerai ma part. Moi aussi, je suis de constitution traditionnelle, et nous devons nous serrer les coudes. Il le faut, Mma.

Elle saisit son gâteau et en mordit une large bouchée.

— En plus, il est très bon, ajouta-t-elle, la bouche pleine. Il est même excellent.

Pendant quelques instants, Mma Ramotswe ne sut que faire. Ai-je vraiment envie de changer ? se demandait-elle. Est-ce que je ne préfère pas rester simplement moi-même, une dame de constitution traditionnelle qui aime le thé rouge et prend plaisir à se reposer sur sa véranda pour réfléchir ?

Elle soupira. Il existait beaucoup de bonnes résolutions qui ne se réaliseraient jamais. Celle-là, décida-t-elle, en ferait partie.

— Je pense que mon régime est terminé à présent, annonça-t-elle à Mma Potokwane.

Elles restèrent encore un bon moment ensemble, à parler comme de vieilles amies en suçant les miettes de gâteau sur leurs doigts. Mma Ramotswe raconta à

Mma Potokwane son éprouvante semaine et Mma Potokwane compatit.

— Vous devez prendre davantage soin de vous, affirma-t-elle. Nous ne sommes pas sur terre pour travailler sans arrêt.

— Vous avez raison, approuva Mma Ramotswe. Il est important de se ménager des moments pour réfléchir tranquillement.

Mma Potokwane acquiesça.

— Je dis souvent aux orphelins de ne pas passer tout leur temps à travailler, ajouta-t-elle. C'est contrenature. Il faut un temps pour le travail et un temps pour le jeu.

— Et aussi un temps pour rester assis, à regarder le soleil monter et redescendre dans le ciel, renchérit Mma Ramotswe. Et un temps pour écouter sonner les cloches du bétail dans le bush.

Mma Potokwane trouva toutes ces idées excellentes. Elle aussi, avoua-t-elle, aimerait un jour prendre sa retraite et retourner dans son village, où les gens se connaissaient tous et se préoccupaient les uns des autres.

— Et vous, retournerez-vous un jour dans votre village ? demanda-t-elle à Mma Ramotswe.

Et Mma Ramotswe répondit :

— J'y retournerai, oui. Un jour ou l'autre, j'y retournerai.

Et en pensée, elle revit les sentiers sinueux de Mochudi, et les enclos à bétail, et le petit coin de terre entouré d'un muret où une pierre modeste portait l'inscription : *Obed Ramotswe*. Et près de la pierre poussaient des fleurs sauvages, de petites fleurs d'une telle beauté et d'une telle perfection qu'elles brisaient le cœur. Elles brisaient le cœur.

Impression réalisée sur Presse Offset par

La Flèche (Sarthe), 40848
N° d'édition : 3921
Dépôt légal : janvier 2007
Nouveau tirage : mars 2007

Imprimé en France